D0811444

ISSUE LABEL

DURATION OF LOAN—Not later than the
latest date stamped below.

TRISTAN

LE PARASITE

SOCIÉTÉ DES TEXTES FRANÇAIS MODERNES

TRISTAN

LE PARASITE

COMÉDIE

ÉDITION ANNOTÉE

PAR

JACQUES MADELEINE

PARIS

LIBRAIRIE E. DROZ

25, RUE DE TOURNON, 25

1934

INTRODUCTION

———

La Mariane, *Panthée*, *La Mort de Sénèque*, *La Mort de Chrispe ou les Malheurs domestiques du Grand Constantin*, *Osman*, cinq tragédies échelonnées de 1636 à 1647, de valeur évidemment inégale, mais dont aucune ne démérita du grand renom qu'avait acquis d'emblée à leur auteur la triomphante réussite de sa première œuvre ; une tragi-comédie, *La Folie du Sage*, pièce assez étrange, d'allures souvent presque shakspeariennes : tel était le répertoire dramatique de Tristan l'Hermite. Pourquoi, vers la fin de sa vie, en 1653, y fit-il entrer une comédie, *Le Parasite* ? Fut-ce, bien à l'avance, pour autoriser plus encore Ernest Serret et N.-M. Bernardin à voir en lui « un Précurseur de Racine [1] », de Racine qui, entre *Andromaque* et *Britannicus*, se divertit à traîner sur la scène *les Plaideurs* ? Non ! même un poëte ne peut prévoir si loin. Ce fut, plus simplement, tout simplement, parce qu'il lui tomba sous les yeux un livret, plutôt qu'un petit livre, déjà vieux d'environ soixante années, qui lui parut lui fournir un agréable sujet à mettre en vers français, et même en vers burlesques : l'*Angelica* de Fabricio de Fornaris [2].

1. ERNEST SERRET, *Un précurseur de Racine, Tristan l'Hermite*, dans la revue *Le Correspondant*, livraison du 25 avril 1870. — *Un précurseur de Racine, Tristan L'Hermite, sieur du Solier* (1601-1655), *sa famille, sa vie, ses œuvres*. Par N.-M. BERNARDIN, Paris, 1895, in-8 de XII et 632 pp. (Sur *Le Parasite*, pp. 299-301, 504-526).

2. *Angelica* | Comedia | de Fabritio de Fornaris Na- | politano detto il Capitano Coccodrillo | Comico Con- | fidente. || In Parigi, | Appresso Abel l'Angelier | alla prima colonna della | gran salla del Palasso. | M.D.LXXXV. Petit in-12, IV et 61 feuillets.

On trouve à la Bibliothèque Nationale jusqu'à trois exemplaires de l'*Angelica* (cotes : Yd. 4109, 4020 et 4021), et de plus une réimpression : Venetia, F. Bariletti, 1607, in-12, 144 pp. (Yth. 50023). Par contre, la Bibliothèque Nationale ne paraît pas posséder un seul

Ce Fornaris faisait partie de la troupe des Comédiens *Confidenti*, rivale ou concurrente de la troupe des *Gelosi*, et qui vint aussi à la cour de France [1] : il tenait l'emploi du Capitan. Dans sa dédicace au duc *di Gioiosa* (de Joyeuse), il dit que cette comédie lui fut donnée par un gentilhomme de beaucoup d'esprit, et qu'il l'embellit, grâce à sa pratique du théâtre, en y introduisant le rôle du capitaine Coccodrillo, dont il s'acquittait si bien : de fait, que Fornaris assurât le succès d'une pièce en y déclamant force « rodomontades », c'est la seule raison pour que le soupirant de la jeune Angélique ne fût pas tout uniment un noble et riche Vénitien, comme il devait l'être dans l'original.

La dédicace ajoute que l'*Angelica* fut représentée d'abord, en France, aux fêtes du baptême de la fille du duc *d'Umena* (du Maine, *alias* de Mayenne), en présence de la Reine Mère et de beaucoup d'illustrissimes Princes et Princesses, puis en l'hôtel du comte *di Sos* (de Saulx).

Pour rendre sienne cette comédie italienne, Tristan ne se fit pas plus de scrupule que ne s'en faisaient la plupart des poètes ses contemporains, notamment Molière qui a tiré *L'Étourdi* de *L'Inavvertito* de Nicolo Barbieri dit Beltrame, et qui lui-même aussi s'est souvenu un moment, ou plusieurs, de l'*Angelica*.

Afin que l'on puisse juger de l'adaptation de Tristan, il est nécessaire de longuement « raconter la pièce », telle que l'avait déjà adaptée Fabricio de Fornaris.

Dans la première scène de l'ACTE I, la *Balia* (nourrice) d'*Angelica* dit à sa commère *Anassira* que la jeune fille, ayant passé quelque temps à Padoue, fut remarquée par un certain *Fulvio* venu de Naples pour étudier à la célèbre université de la petite ville proche de Venise. Et ils s'énamourèrent l'un de l'autre. Mais, pendant cela, *Mabilia*, mère d'Angelica, avait eu des pour-

---

exemplaire d'une traduction, dont l'unique trace est cet article du Catalogue de la Bibliothèque dramatique de M. de Soleinne : « *Angelica*, comédie de F. de Fornaris, napolitain, dit le Capitaine Coccodrillo... Mis en français des langues italienne et espagnole, par le s[r] L. C., Paris, Abel l'Angelier, 1599, in-12. »

1. Cf. ARMAND BASCHET, *Les Comédiens Italiens à la Cour de France*, 1882, et LOUIS MOLAND. *Molière et la Comédie Italienne*, 1867.

parlers, pour un mariage, avec l'opulent et valeureux *Capitan Cocodrillo*, espagnol ; et elle fait revenir sa fille à Venise [1].

Pour empêcher cette union odieuse à Angelica, la Balia et *Mastica*, le valet parasite, ont machiné « la plus belle et la plus colorée fourberie qui se puisse imaginer ».

Il y a environ vingt ans Mabilia avait épousé *Gismondo* ; elle lui avait donné un fils *Mutio*, et une fille, Angelica. Un jour, dans une excursion en mer, Gismondo, qui avait pris avec lui son fils, est capturé par les pirates barbaresques. On ne sait s'ils sont morts ou vivants.

Or, voici ce qu'ont imaginé la Balia, Mastica et Angelica : Que Fulvio, vêtu en Turc, un carcan de fer au cou, une chaîne aux pieds, comme un échappé du bagne, vienne à Venise et se fasse passer pour Mutio, frère d'Angelica. Il dira que son père est mort. Une fois qu'il sera entré dans la place, Angelica et lui « se réjouiront » ensemble. Et le fâcheux mariage sera rendu impossible.

La Balia demande à sa commère de ne parler à personne de ce qu'elle vient de lui révéler. Mais Anassira lui répond : « Tu n'as pas gardé ton secret, pourquoi veux-tu que, moi, je le garde ? Si je vois le Capitan, je ne sais si je pourrai me tenir de lui en faire part. »

La *Scène 2* met en présence la Balia et Mastica. Elle lui expose le désarroi d'Angelica qui, toute la nuit, se tourne tantôt d'un côté, tantôt de l'autre, et répète cinquante fois mille et mille choses en vue de s'assurer que tout sera expliqué de la bonne manière. Elle le supplie d'aller vite à Padoue porter à Fulvio la lettre où l'intrigue est dûment détaillée. Mais Mastica ne songe qu'à manger et à boire : Si la Balia était un pâté, il n'en ferait qu'une bouchée. Il accepte enfin de partir.

Sc. 3. Le Capitan paraît. Lorsque tous les autres personnages parlent l'italien, il ne s'exprime, lui, qu'en espagnol. Fornaris devait tirer de là des effets de comique. Le Capitan commence par appeler à lui de nombreux domestiques, imaginaires, ordonne que l'on prenne soin de ses chevaux, se décore des titres les plus ronflants ; puis il envoie son valet *Squadra* [2] aux

---

1. Dans *Le Parasite*, la Balia, c'est *Phénice* ; Angelica, c'est *Lucinde* ; Fulvio, c'est *Lisandre* ; Mabilia, *Manille* ; le Capitan Cocodrillo, le *Capitan Matamore* ; Mastica, *Fripesauces* ; Gismondo, *Alcidor* ; Mutio, *Sillare*. Le personnage de la commère Anassira est supprimé. Tristan ne garde pas non plus le personnage de Mutio, et c'est avec raison. L'on n'a que faire de Mutio, il est en double emploi avec son père, il n'apporte rien de particulier, il se borne à être encombrant.

2. Squadra est le *Cascaret* du *Parasite*.

provisions : que, surtout, il y ait de bonnes olives... Mastica
écoutait, à la cantonade. Dès qu'il s'agit de manger, il se
montre, dans l'espoir d'être invité.

Sc. 4. Le Capitan demande à Mastica ce qu'Angelica dit de
lui. Elle est pleine de joie, répond Mastica. Devenir l'épouse
d'un tel héros ! Cela amène des récits de hauts faits, puis l'offre
d'un corselet. Qu'est-ce ? interroge Mastica. Une pièce d'armure.
Et le Capitan termine en s'excusant dè ne pouvoir aujourd'hui
recevoir à sa table Mastica, qui, furieux de ce que, après lui
avoir infligé tant de balivernes, on le laisse assourdi et des-
séché, déclare qu'il s'en va à Padoue porter la lettre.

L'Acte II comporte sept scènes, dont la première a pour inter-
locuteurs Fulvio et *Gherardo*, le vieux serviteur qu'*Algenio*[1],
père de Fulvio, a mis auprès de lui, un peu pour le surveiller.
Gherardo blâme Fulvio. Il lui remontre que si son père est
avisé de la conduite qu'il mène, on le verra vite arriver. Il
ajoute qu'il a appris que la fille de Mabilia se marie aujourd'hui
même avec un certain Capitaine... Mensonge ! riposte Fulvio.

Sc. 2. Fulvio, depuis le commencement de l'acte, est à
Venise. Il y rejoint *Giulio*[2], son ami le plus cher, confident de
ses amours. Giulio n'apporte aucune nouvelle. Il a vu Mastica,
qui n'a pu rencontrer Fulvio, déjà parti de Padoue. Mais les
façons assez ambiguës du parasite lui ont paru suspectes. Et le
bruit du mariage imminent d'Angelica semble se confirmer.

Sc. 3. Squadra sort de la maison voisine, qui est celle du
Capitan. Fulvio et Giulio s'emparent de lui ; ils ne le relâche-
ront qu'après qu'il aura répondu aux questions qu'on va lui
poser. Le Capitan épouse-t-il ? Oui. Mastica était-il au courant ?
Certes ! à telle enseigne qu'il a été de tout le porte-paroles, et
que, chaque jour, il mange et boit avec le Capitan.

Sc. 4. Giulio conseille, avec raison, de s'informer plus exactement auprès de Mastica lui-même. Mais Fulvio est au déses-
poir. Il se plaint des femmes perfides et infidèles. Il invective
contre le traître Mastica. Il implore qu'on le mène au Canal
Grande et qu'on l'y jette avec une pierre au cou.

Sc. 5. Le Capitan fait une entrée furibonde, en espagnol.
Anassira, son amie, lui a appris l'entreprise que l'on a eu l'audace de dresser contre lui. Il veut massacrer Fulvio, Angelica,
Mabilia, Mastica, la servante, les chiens, les chats, et jusqu'aux
puces de la maison.

---

1. Algenio, c'est *Lucile*. — *Le Parasite* se passe de Gherardo.
2. Giulio, *Periante*.

Sc. 6. Fulvio, mieux renseigné, prie Mastica de lui pardonner de s'être irrité contre son allié si dévoué. Mastica est porteur de la fameuse lettre. Il la fait désirer à Fulvio. Il la lui remet enfin. O bienheureuse lettre !

Sc. 7. Rencontre de Fulvio et du Capitan. Fulvio somme le Capitan de mettre l'épée en main, pour se tirer l'un à l'autre un peu de sang. Le Capitan réplique qu'il n'a de sang que juste autant qu'il lui en faut. Si Fulvio en a trop, qu'il s'adresse à un barbier. Fulvio traite le Capitan de poltron et le met en fuite.

ACTE III, *sc. 1.* Fulvio est déguisé en Turc, le turban sur la tête, le carcan au col, la chaîne aux pieds.

Sc. 2. Gherardo met Fulvio en garde sur les suites que pourrait avoir cette aventure. Mais c'est en vain.

Sc. 3. Mabilia, avertie par Mastica, sort de sa maison. Elle exulte de la joie de retrouver un fils si longtemps pleuré. Elle presse Angelica d'embrasser son frère. Ni Fulvio, ni Angelica ne s'en fait faute. Fulvio demande des nouvelles de la bonne tante Filomena, dont son père lui parlait souvent, ainsi que d'un vieil oncle ; mais celui-là est mort. Mabilia commence à s'inquiéter un peu des caresses prolongées que Fulvio, qu'elle appelle Mutio, prodigue à Angelica. Mais celle-ci réplique : « Je crois, ma mère, qu'ainsi en usent en Turquie les frères et les sœurs. » Mabilia s'avise d'une remarque : « Regarde, Angelica, comme, par ses yeux et son front, il te ressemble. » Et Angelica risque cette répartie : « C'est vrai, mais je pense que, pour le reste, il doit ressembler plutôt à son père. » Mabilia verse un pleur à la pensée de ce mari qu'elle ne reverra plus jamais ; et elle s'en excuse. Et elle s'en va. Seuls un instant, Angelica susurre à l'oreille de Fulvio : « Je veux vous voir délivré de ces chaînes. A ce cou délicat et à ces flancs conviennent les bras de qui vous aime. » — Et voilà qui devance Hernani : « ...les deux bras d'une femme aimée et qui vous aime. »

Sc. 4. Monologue de Mastica. Il redoute que Mabilia ne finisse par s'inquiéter, si Fulvio ne modère pas un peu ses effusions de tendresse. Mais c'est l'heure du repas, il ne faut pas que l'on mange sans lui.

Sc. 5. Monologue de Squadra. Il a entendu raconter que venaient de débarquer un vieillard et son fils qui avaient été pendant vingt ans aux mains des Turcs. Cela lui suggère de certaines idées...

Sc. 6. Monologue d'Anassira. Elle a vu les deux Chrétiens, un vieux de soixante ans, un jeune de vingt ans, brûlés de

LE PARASITE   B

soleil, nus comme si l'on était au mois d'août, les mains cal-
leuses, les pieds traînant des bouts de chaînes.

Sc. 7. Mastica gourmande, et sérieusement, Fulvio. « Tu ne
te tiens auprès d'Angelica un seul moment, que tu ne changes
de couleur, et tu es toujours collé à ses côtés. A table tu restes
stupidement à la contempler. Tu ne manges que de ce qu'elle
mange elle-même, tu ne bois que dans le verre où elle a bu et
à la place où elle a posé ses lèvres. Tu n'essuies ta bouche
qu'avec la serviette avec laquelle elle a essuyé sa bouche. Et
puis tu fais un « menage » de pieds sous la table, non sans un
vacarme dont ont grogné les chiens qui rongent les os sous la
table [1]. » (Fornaris ne s'inquiète guère des répétitions de mots.)

Sc. 8. Squadra explique au Capitan la contre-offensive de
fourberie dont ce qu'il a appris lui a fourni le plan. Le vieil
homme a soixante ans, le jeune en a vingt : âges con-
formes à ceux que pourraient avoir Gismondo et Mutio. Il
suffira de les endoctriner avec le plus grand soin. Ils viennent
de terminer leur repas à l'hôtellerie et sont en train de régler
leur compte.

Sc. 9. Mastica n'était pas très loin. Il a l'imprudence de se
montrer. Le Capitan le foudroie de ces paroles terribles : « No
vendreys jamás a mi casa ne mi mesa. Tu ne viendras plus
jamais dans ma maison ni à ma table. »

ACTE IV, *sc. 1.* Gismondo et Mutio manifestent leur joie
d'être rentrés dans la « douce patrie », leur espoir de retrouver
vivantes Mabilia et Angelica.

Sc. 2. Squadra, qu'escorte le Capitan, demande, comme un
service, à Gismondo, de feindre d'être Gismondo, à Mutio,
d'être Mutio. Les deux hommes laissent voir quelque surprise,
ce dont Squadra s'étonne. Ils répondent : « Mais nous sommes
véritablement Gismondo et Mutio ». Le Capitan s'exclame : « Bon
commencement ! » Et Squadra d'ajouter : « Comme ils ont déjà
bien appris leur leçon ! » Il montre à Gismondo la porte de la
maison de Mabilia. Puis, le Capitan et lui, ils s'éloignent au plus
vite, pour n'éveiller aucun soupçon.

Sc. 3. Gismondo et Mutio frappent à la porte. Ils se

---

1. MOLIÈRE, *L'Etourdi*, acte IV, scène 4. Dix-sept vers, qui tra-
duisent presque littéralement le texte de Fornaris : « Vous n'avez toujours fait qu'avoir les yeux sur elle. — Vous saisissant du verre,
...vous buviez sur son reste. — Vous faisiez sous la table... un tri-
quetrac de pieds insupportable... »

nomment. Fulvio les trouve bien déguisés : il a vu disparaître
le Capitan et Squadra. Il envoie Squadra prévenir Mabilia.

Sc. 4. « Où est-il, dit Mabilia, ce mari tout nouvellement res-
suscité ? » Un moment elle est légèrement ébranlée, pour avoir
cru reconnaître certains gestes, certaines façons de parler
particulières à Gismondo. Ce dernier lui demande si elle
n'a pas un petit signe, un nævus, près du nombril. Mais
Fulvio détourne le coup, en rappelant que les Bohémiens dis-
persés à travers le monde savent, d'après un signe qu'ils voient
sur un visage, à quel endroit du corps se trouve le signe correspondant. Et il révèle la collusion qui existe entre ces deux
intrigants et le Capitan. Si bien que Gismondo et le véritable
Mutio sont évincés par Mabilia elle-même.

Sc. 5. Mutio conseille à son père d'en référer à la justice.

Sc. 6. Monologue de Gherardo. Il a vu débarquer Algenio,
son maître, le père de Fulvio.

Sc. 7. Monologue d'Algenio. Averti que son fils négligeait
ses études pour « s'adonner aux amours », il s'est rendu à
Padoue : on lui a dit que Fulvio était à Venise.

Sc. 8. Fulvio, malencontreusement, survient. Il nie être le fils
d'Algenio : « Bon vieillard, je ne vous connais pas. Je me nomme
Mutio, je n'ai jamais été aux études, j'ai été vingt ans aux
mains des Turcs. Vous vous obstinez : je me retire. »

Sc. 9. Gherardo a rejoint Fulvio, et le presse de quitter
Venise sans tarder. Sinon il risque d'être mis en prison, et de
perdre à la fois la vie et Angelica.

Sc. 10. En effet, voici, menés par Gismondo, le Barigel et ses
sbires. Fulvio est mis en état d'arrestation. Mais, habilement,
il persuade le policier que Gismondo, qui, il est vrai, crie furieu-
sement, n'est qu'un pauvre fou. Et le Barigel présente mille
excuses au jeune gentilhomme : ce maudit vieux lui avait donné
à entendre une chose pour une autre !

Acte V, *sc. 1.* Mabilia interroge Livia, la « fanciulla », la
petite servante de la maison, qu'elle avait chargée de surveiller
de près Angelica et le faux Mutio. Mais Livia s'est éloignée,
par pudeur. Les deux jeunes gens s'embrassaient un peu trop,
ils se disaient qu'ils voulaient se faire « fratelli carnali », et ils
se sont enfermés dans la chambre. Livia s'était bien retirée,
mais elle a regardé par une fente de la porte. Elle les a vus sur
le lit, et cela a duré un grand moment !

Sc. 2. Mabilia se désespère. Squadra vient lui annoncer que
le Capitan reprend sa parole : tout Venise est au courant de ce

qui se passe. Et l'on a vu le jeune Napolitain emmené en prison
par les sbires. (Car, ici, Fornaris oublie complètement qu'il a terminé de toute autre façon la scène finale de l'acte précédent ;
et c'est bel et bien Fulvio qui est incarcéré.)

Sc. 3. Mabilia fait comparoir Mastica. Il avoue sa complicité
dans toute cette fourberie. Elle le chasse.

Sc. 4. Monologue de Mastica. Il regrette les riches frairies,
qu'il énumère, et dont il va désormais être privé.

Sc. 5. Gherardo implore, en faveur de Fulvio, le vieil Algenio, qui, d'abord, ulcéré, déclare qu'il n'a plus de fils, mais se
laisse attendrir lorsqu'il apprend que ce fils est au pouvoir de la
plus impitoyable des justices, celle du tribunal vénitien. Une
seule chance de salut existe, c'est un arrangement avec Gismondo et Mabilia. « Sont-ils, questionne Algenio, d'un rang égal
au mien ? » Gherardo signale Gismondo et Mutio, toujours
en leur costume de forçats. Quelle mascarade ! dit Algenio.

Sc. 6. L'entrevue commence par être orageuse. Gismondo
et Mutio sont, l'un comme l'autre, fort irrités. Fulvio a ravi
l'honneur d'Angelica, leur fille et sœur ! « L'honneur peut lui
être rendu, par un moyen très simple : le mariage, » objecte
Algenio, qui s'humilie un peu. « Qui êtes-vous ? » demande Gismondo. — « Gentilhomme Napolitain, et pourvu de richesses qui
ne sont pas médiocres, » répond Algenio. Par pitié pour un malheureux père que désole la coupable conduite de son fils, et
par pitié aussi pour Angelica, Gismondo, plus clément que
Mutio, finit par consentir à tout ce que l'on veut. — « Ne perdons plus de temps, conclut le fidèle Gherardo ; allons délivrer
Fulvio avant qu'il ne soit conduit devant la Seigneurie. »

Sc. 7. De son côté, Mastica se hâte : il tient à être le premier
à porter à Mabilia la bonne nouvelle. Il rentre en grâces.

Sc. 8. Embrassades et congratulations.

Sc. 9. Mastica fait le Salut aux Spectateurs.

A la lecture du *Parasite* on verra jusqu'à quel point Tristan a
suivi l'affabulation de Fabricio de Fornaris, mais aussi quelles
améliorations il a su apporter à la marche générale de la comédie. Quant aux traits de l'original qu'il a reproduits pour ainsi
dire tels quels, ils ont été pour la plupart mis en relief ci-
dessus, pour qu'on les puisse repérer successivement.

Le premier acte du *Parasite* est le même que celui de l'*Angelica*, sauf cette réserve que le personnage de la commère

Anassira qui est absolument inutile, et dont la réapparition au
cours de l'acte III n'a pas plus de raison d'être, a été supprimé.
L'exposition se fait donc plus directement entre Phénice et Fripesauces ; et Lucinde nous y est présentée dès le début, — tandis qu'Angelica ne se laissera entrevoir pour la première fois
qu'à la troisième scène du troisième acte ; puis elle ne se mon-
trera jamais plus, si l'on ne cesse de parler d'elle. Et il y a
enfin cette jolie scène, toute de Tristan, où la jeune fille, mise
en présence d'un prétendant qui fait mine de s'imposer, a cette
attitude si délicieusement hautaine et décisive.

L'acte II de Tristan nous fait grâce d'une nouvelle inutilité,
le vieux serviteur Gherardo, sorte de Mentor moralisant, crain-
tif, et peu divertissant. C'est là une habile simplification.
N.-M. Bernardin voudrait même voir disparaître également
l'ami de Lisandre, ce Periante qui est si pressé de reprendre le
coche d'Orléans. Il n'a pas absolument tort, et Periante n'exis-
terait peut-être pas s'il n'y avait Giulio, condisciple à Padoue
de Fulvio [1]. Mais il faudrait alors quelque autre façon d'informer Lisandre de l'infortune dont il est menacé et de le faire
s'irriter, non sans raison, contre Fripesauces. A la fin de l'acte,
une simplification encore : la scène où le Capitan est averti de la
fourberie dressée contre lui, ne vient point s'enchevêtrer au beau
milieu du démêlé entre Lisandre et Fripesauces (entre Fulvio et
Mastica) ; elle est incorporée, à la suite, dans la scène où l'on
voit le Matamore fuir honteusement devant son rival.

De plus notables changements différencient l'acte III. Tristan ne prend que les trois premières scènes de Fornaris. Il
supprime les vains monologues et toutes les répétitions. Il con-
tinue par la scène où si fâcheusement le jeune homme se trouve
nez à nez avec son père (dans *l'Angelica*, cette rencontre n'aura
lieu que vers la fin du quatrième acte). Surtout il ajoute de son

---

1. Mais, si complètement informé que soit toujours N.-M. Bernardin, il n'a pas connu la comédie de F. de Fornaris. Son livre sur Tristan est daté de 1895 (voir page V, note 1). Ce n'est qu'en 1906 que
l'Angelica a été signalée par A.-L. Stiefel, dans un article des *Studien
zur vergleichenden Literatur Geschichte*, intitulé : *Über angebliche Bezie-
hungen Moliere's und Tristan L'Hermite's zum spanischen* (?) *Drama*.

cru trois scènes incomparables : celle, d'une si savoureuse verdeur, où le vieillard Lucile est aux prises avec la gaillarde Phénice, celle où le Capitan le malmène, celle enfin où Manille dit
ses quatre vérités au même Capitan.

Les premières scènes de l'acte IV se correspondent, ou à peu
près, dans les deux pièces. Mais Fulvio n'est-il pas fort impru-
dent lorsque, pour la mettre en présence de son mari et de son
vrai fils, il fait lui-même venir Mabilia ? Au contraire, le Lisandre
de Tristan en sentira bien le danger ; Lucinde aussi, elle qui,
par crainte de ce qui va résulter de l'entrevue, n'hésite pas (et
cela est d'ailleurs assez dur) à renier celui qui lui apparaît être
son père. Mais Manille survient sans être appelée. Et c'est la
maîtresse scène où les deux époux depuis si longtemps séparés
se reconnaissent cependant, où Alcidor reprend, sans plus de
complications, sa place dans sa maison, où Phénice et Fripesauces abandonnent lâchement leur jeune maîtresse, sans que
cela évite au valet infidèle d'être expulsé comme il le mérite. Et
l'acte est allégé de la rencontre entre Lisandre et son père,
reportée autre part, ainsi que de l'épisode inexplicable, et qui
reste en l'air, du Barigel et de ses sbires. Ces derniers seront
seulement remplacés, plus tard, par les Archers amenés, non
pas par Alcidor, mais par le prévôt Lucile, père de Lisandre.

Au début de son cinquième acte, peut-être est-il fâcheux que
Tristan n'ait pas osé faire de la Livia fanciulla, une petite Fran-
çaise ingénue. Sa naïve, ou peu naïve, déposition éclaire d'une
parfaite logique toute l'intrigue. Car enfin, que Lisandre passe
pour le frère de Lucinde, cela suffit-il à ruiner un projet de
mariage si bien établi ? Phénice a dit, il est vrai, qu'une fois
Lisandre ancré au port, on agirait dans le sens voulu. Mais de
quelle façon ? L'indiscrétion de la servante enfant ne nous
laisse aucun doute à ce sujet. C'est que Tristan n'a voulu trop
choquer personne. Du même coup il garde à Manille le beau
rôle : elle ne reçoit pas du Capitan le mortel affront, qu'il serait
en droit de lui infliger ; c'est elle qui a évincé un brutal doublé
d'un poltron. Toutefois ce bravache ne disparaîtra totalement
que lorsqu'il aura compris que le faux Alcidor qu'il pense avoir

suscité n'est autre que le véritable Alcidor, et que la partie est
pour lui perdue sans espoir. L'acte V de Tristan ne rejoint
guère celui de Fornaris que vers le dénouement. Alcidor, plus
perspicace que ne le fut Manille, accuse Lisandre d'avoir formé
le projet, tout au moins, de « corrompre » sa fille, et le veut
faire pendre. Lucile (il a meilleure tenue qu'Algenio) se met en
travers. Cela finit par un mariage, dès le moment que les deux
hommes découvrent — et cela est finement amusant sous la
plume de Tristan, au lieu que Fornaris n'en donnait qu'une indication — que le mariage d'inclination est en même temps un
mariage de convenance.

Ne semble-t-il pas que, malgré le brevet de maîtrise en la
pratique du théâtre, que Fabricio de Fornaris s'attribue en sa
dédicace au duc de Joyeuse, Tristan lui soit supérieur, même
sur ce point? *Le Parasite* est mieux distribué que l'*Angelica*. Il
ne s'encombre pas de tant de redites et d'inutilités, de monologues superflus ni de personnages dont on ne sent pas la néces-
sité et qui entravent la marche régulière de l'action.

Et puis la pièce du « Comico Confidente » est écrite en prose
italienne, plus dialectale que littéraire, mêlée de prose espagnole,
parfois d'un aloi douteux, tandis que celle de Tristan L'Hermite est en vers, en vers d'une belle verve, burlesque, puisqu'il
le fallait, mais où le poète lyrique et tragique se retrouve souvent tout entier. Des vers comiques non pas seulement en ce
qu'ils disent, mais encore par eux-mêmes, et qui nous laissent
après eux une vive impression. — Quand ce ne serait que cette
réplique de Phénice, délicieuse tant par une sorte de mélancolie
enjouée, que grâce à son rythme et à son redoublement d'alli-
térations : *Les sages savent bien que les femmes sont folles...*

La filiation de la comédie étant établie, une autre question se
pose. On va trouver notées, au bas des pages du texte, d'assez
fréquentes rencontres du *Parasite* avec *L'Étourdi*, ou de *L'Étourdi*
avec *Le Parasite*. Parfois il ne s'agit que de mots, les mêmes et
peu usités, orthographiés de la même façon, ce qui est déjà

assez singulier : « scoffions », pour escoffions, « espouster »,
pour espousseter. Mais aussi parfois, c'est tout un vers où l'on
est obligé de reconnaître une certaine parenté. Tristan dit,
vers 301 : « Je m'en allais la voir, cette belle assassine » ;
Molière : « Que dit-elle de moi, cette gente assassine ? » —
Tristan, vers 404 : « Et Dieu sçait quels seront ses transports de
colère ! » Molière : « Dieu sçait quelle tempeste alors esclatera ! »
— Tristan, vers 1678 : « Non, je vous dis encor que je le feray
pendre. » Molière : « Quoy qu'il puisse couster, je veux le faire
pendre. » — Et voici un vers de Molière : « Et j'ay battu le
fer en mainte et mainte salle » qui ressemble comme un frère
au vers 523 de Tristan : « On dit qu'il bat le fer dans les meilleures salles. »

On ne parle ici que de ce qui est flagrant, mais M. Eugène
Rigal, qui s'est déjà avisé de ces étranges rapprochements, incri-
mine plus de cinquante vers de *L'Étourdi* et confronte à bon
droit toute la scène 1 de l'acte IV de Molière avec la scène 2
de l'acte III de Tristan [1].

Il faut préciser que pas un seul des exemples ci-dessus ne
saurait permettre de remonter à une source commune, qui serait
l'*Angelica*.

Une influence d'un des deux poètes sur l'autre est donc indé-
niable. Mais qui est celui qui l'a subie ? Ce n'est assurément pas
Tristan ; les dates s'inscriraient en faux contre cette assertion.

Dans le fameux *Registre* qu'il tenait à jour du vivant même de
Molière, La Grange inscrit : « Cette pièce de théâtre (*L'Étourdi*)
a été représentée pour la première fois à Lyon en l'an 1655. »
Mais dans la préface de l'édition originale des Œuvres de
Molière, procurée par le même La Grange en 1682 [2], on lit :
« Il (Molière) vint à Lyon en 1653, et ce fut là qu'il exposa au
public sa première comédie : c'est celle de *L'Étourdi*. » Contra-
diction, qui a créé une incertitude. Contradiction apparente seu-

1. Eugène Rigal, *L'Étourdi* de Molière et *Le Parasite* de Tristan
L'Hermite. *Revue Universitaire*, 15 février 1893 ; article reproduit dans
le volume intitulé : *De Jodelle à Molière*, 1911.
2. *Les Œuvres de Monsieur de Molière*, 1682, 8 volumes in-12.

lement, pensent Eugène Despois et Paul Mesnard[1]. La Préface
ne dit nullement : « ce fut alors », mais : « ce fut là ». Sans
compter qu'au bout de près de trente ans, les souvenirs ont
chance de n'être pas d'une exacte précision ; et Molière
n'était plus là pour rectifier. Il vint bien à Lyon en 1653, mais
il n'y fit que passer, s'empressant à suivre le prince de Conti en
Languedoc et dans le Roussillon. Au contraire sa présence à
Lyon est constatée par un acte d'état civil dès le mois d'avril
1655, et il y a des témoignages, celui de D'Assoucy par exemple,
que son séjour en cette ville se prolongea six mois au moins.
Tout le temps d'y monter une pièce et de la faire jouer. Quatre
ans plus tard, en mai 1659, d'après La Grange, L'Étourdi fut
représenté à Paris au Petit Bourbon, puis au Louvre ; et l'édition originale est de 1663[2].

Le Privilège du Parasite est daté du 13 mars 1654 et l'Achevé
d'imprimer du 19 juin. La pièce a par conséquent été jouée
dans le courant de 1653, car on n'ignore pas que les auteurs
retardaient autant que possible de publier leurs œuvres, qui
tombaient dans le « domaine public », c'est-à-dire pouvaient
être prises par toutes les troupes de comédiens, dès qu'elles
avaient été mises en vente chez les libraires. Tristan n'est cer-
tainement pas allé à Lyon ouïr réciter les vers de Molière (si
même on maintenait pour L'Étourdi la date de 1653). Molière
au contraire s'est rendu à Paris plusieurs fois en 1653-1654 ; et
il connaissait fort bien Tristan qui lui avait donné pour l'Illustre
Théâtre La Mort de Sénèque. En outre, il a pu avoir sous les
yeux l'in-quarto sorti des presses d'Augustin Courbé.

Le Parasite... Qu'est-ce, tout d'abord, qu'un parasite ? Le
sophiste grec Lucien de Samosate, dans un Dialogue où il
s'ingénie à démontrer que « le parasitisme est un art », nous

1. Notice sur l'Étourdi, par Eugène Despois, et Notice biographique sur
Molière, par Paul Mesnard, tomes I et X des Œuvres de Molière (collec-
tion Les Grands Ecrivains de la France).
2. L'Estourdy ou les Contre-Temps, comedie... Par J. B. P. MOLIERE. A
Paris, chez Gabriel Quinet... M.DC.LXIII.

donne du personnage une définition fort précise, conforme au
sens le plus ancien de cette appellation, conforme également au
sens que nous lui attachons encore à l'heure actuelle. Le parasite, c'est celui qui, n'ayant ni maison, ni famille, et ne dispo-
sant que de ressources problématiques, se tire d'affaire en se
faisant couramment inviter à dîner en ville. Il sait dans un
repas briller au-dessus de tous les autres convives, plaisanter
avec esprit, entretenir la conversation générale, et créer ainsi
autour de lui une atmosphère de franche gaieté favorable à la
digestion. Il entre aussi dans son rôle d'être une fine four-
chette non moins qu'un intrépide vide-bouteilles, et de donner
ainsi le bon exemple. Sans lui, le menu le mieux combiné serait
mal apprécié par des dîneurs moroses ; il sauve tout, et c'est
pour cela que les invitations ne lui manquent jamais. « Le
riche est honoré, et charmé, d'avoir un parasite à sa table. »

Tel était encore, dans la première moitié du dix-septième
siècle, le sieur Pierre de Montmaur, lecteur royal en langue
grecque au Collège de France. C'était un homme fort
savant, ou du moins il s'en vantait, et très spirituel. Mais,
par malheur pour lui, sa verve était volontiers sarcastique et
s'égayait généralement aux dépens de ses voisins. Il se mit
ainsi à dos tous les gens de lettres de son époque : Sarrazin,
Scarron, Balzac, Malleville, Colletet, Sirmond, Furetière, Dali-
bray, et d'autres. Mais le plus enragé de tous, ce fut Gilles
Ménage, qui publia contre lui, en latin, d'interminables pamphlets : *Gargilii Macronis parasitosophistae Metamorphosis*, et
surtout une *Vita Gargilii Mamurrae parasitopaedagogi* [1].
« Bataille de cuistres » [2], dit N.-M. Bernardin.

---

1. *Aegidii Menagii Miscellanea*, Parisiis, M.DC.LII. — Mais cette
date de 1652 ne doit pas être retenue, car les pamphlets de Ménage
sont bien antérieurs à leur publication dans cet énorme in-quarto.
2. C'est le titre de l'un des chapitres (pages 153-185) du livre de
N.-M. Bernardin : *Hommes et Mœurs au dix-septième siècle*, 1900. — La
seconde thèse de doctorat de N.-M. Bernardin (thèse latine, comme
c'était autrefois l'usage) avait pour titre : *De Petro Monmauro, graecarum
litterarum professore regio, et ejus obtrectatoribus*, Paris, 1895, sa première thèse étant son ouvrage sur Tristan l'Hermite.

On a parfois [1] voulu enrôler Tristan dans cette troupe des
ennemis de Montmaur. Cela semble assez hors de propos, du
moins en ce qui nous occupe. La fameuse « bataille » avait
déjà pris fin vers 1644, près de dix ans avant que Tristan ait
eu l'idée d'écrire *Le Parasite* ; Montmaur était mort dès le
mois de mars 1650 ; et rien absolument qui puisse se rapporter
à lui, même de loin, ne se rencontre en l'adaptation à notre
scène de l'*Angelica* de Fornaris.

Pour revenir aux temps plus anciens, Plaute se souvient
encore du prototype fixé par Lucien. L'Ergasilus des *Captifs*
avoue qu'il n'est pire détresse que d'être « invocatus », c'est-à-
dire : non invité. Il plaint les malheureux « quos nunquam
quisquam neque vocat neque invocat ». Et de même, dans
L'Eunuque de Térence, Gnathon blâme vertement un de ses
amis qui, s'étant ruiné à force de vivre trop largement, n'a pas
su comme lui retrouver chez les autres la même plantureuse
existence. Mais déjà, chez les deux poètes, la déviation se fait
sentir et s'accentue au point de devenir catégorique et défini-
tive. Le parasite n'est plus cet artiste, indépendant par ailleurs,
que l'on nous avait montré. Il s'est transformé en un simple valet,
qui fait partie de la maison d'un maître, que l'on emploie à des
besognes domestiques, ou à d'autres qui ne sont pas toujours
très avouables. Mais un serviteur, un tel serviteur, s'il ne touche
des gages que d'une façon peu régulière, doit du moins être
nourri ; et il n'y a rien de plus naturel. Seulement son défaut,
c'est de n'être jamais pleinement rassasié, c'est d'être un goinfre,
perpétuellement affamé, atteint d'une boulimie que rien ne
saurait assouvir. Il n'a donc d'autre préoccupation que celle de
se remplir la panse. Et c'est là un motif à d'interminables
plaisanteries, peu variées, un moyen comique dont on a géné-
reusement usé et même abusé.

Ce parasite « nouveau modèle » évolue sur les planches

---

1. Bernardin lui-même, et aussi MM. Léon et Frédéric Saisset en
leur article de la *Grande Revue* de septembre 1932 : *Le Parasite dans
l'ancienne comédie*, article d'ailleurs à lire, et où Tristan tient sa place.

parfois seul, mais le plus souvent en compagnie d'un autre
personnage traditionnel : le Matamore. Il est au service de ce
Matamore, à moins qu'il ne soit au contraire l'âme damnée
d'un rival, à moins encore qu'il ne les trahisse au besoin
l'un et l'autre. Ainsi chez Plaute, nous trouvons Curculio
(le charançon) près du redoutable Therapontigonus, et Arto-
trogus près de Pyrgopolinices, qui est le Miles Gloriosus (le
soldat fanfaron). Chez Térence, Gnathon vit aux crochets de
Thrason. Pêle-mêle, Larivey nous offre Gourdin, escornifleur,
Fierabras, capitaine, et Brisemur, brave. François d'Amboise,
dans *Les Neapolitaines*, met à la suite de Dom Dieghos, gentilhomme espagnol, Maistre Gaster, extravagant escornifleur, et
Odet de Tournebu, dans *Les Contens*, Saucisson, escornifleur
et maquereau, à la suite du capitaine Rodomont. On pourrait
amplifier, et de beaucoup, cette énumération. Mais à quoi bon ?
Sans se préoccuper de tous ces devanciers, Tristan s'est borné à
emprunter au seul Fornaris, en les réadaptant, les principaux
traits de gloutonnerie et de forfanterie qu'il attribue à Fripesauces et à son Capitan.

Le type classique de Matamore n'est guère plus compliqué
que celui du parasite. C'est un bravache qui se vante d'exploits
extraordinaires non moins qu'imaginaires, qui ne parle que de
tout détruire et de tout massacrer, et n'est au fond qu'un risible
poltron prêt à fuir devant quiconque lui parle un peu haut.

On doit fixer, au plus tard à l'automne, ou même au prin-
temps de 1653, la date de la première représentation du *Parasite*.
Mais sur quelle scène la pièce fut-elle jouée ? Ici les avis dif-
fèrent. Mouhy [1] désigne, une fois, l'Hôtel de Bourgogne, mais,
une autre fois, le Théâtre du Marais. Léris [2] tient pour l'Hôtel.
Nulle certitude. — On trouve une inscription sur le *Registre* de
La Grange à la date de 1680, après que la troupe de Molière a
fusionné avec celle de l'Hôtel de Bourgogne ; cela ne porte que

---

1. Mouhy, *Journal du théâtre françois*, Bibliothèque Nationale, Ms. f.
fr., 9929-9935, in-f°.
2. Leris, *Dictionnaire portatif, historique et littéraire des théâtres*, 1754.

sur les dernières représentations, ou les presque dernières. Car
les frères Parfaict notent que *Le Parasite* se maintint au répertoire jusqu'en 1682. Il se confirme donc que le succès de cette
comédie fut aussi durable qu'il avait été vif dès le début, comme
l'affirme *l'imprimeur, à qui lit*.

Quant à la distribution, essayer de l'établir serait se lancer en
pleine hypothèse. Pour le rôle du Capitan seulement, on est à
peu près assuré qu'il échut à l'un des meilleurs et des plus fameux
comédiens du temps, Bellemore, qui fit partie de la troupe du
Marais au moins jusqu'en 1640, puis passa à celle de l'Hôtel de
Bourgogne. Ce serait là une présomption en faveur de ce dernier
théâtre pour situer l'apparition originelle du *Parasite*. Bellemore
tenait l'emploi du fanfaron couard. On peut même dire qu'il le
détenait. On ne le connaissait que sous le nom de Capitan Matamore, de même que Fornaris était dit « Il Capitano Coccodrillo ».
Il semblerait qu'il se fût entièrement identifié à son personnage,
à telle enseigne que, si l'on écoute Tallemant [1], « il quitta le
théâtre » prématurément « par ce que Desmarets (de S. Sorlin)
luy donna, à la chaude, un coup de canne... Il n'osa se ven-
ger... » Il est vrai que Tallemant ajoute : « à cause du Cardinal,
qui ne le luy eust pas pardonné. »

Le Parasite n'eut qu'une édition du vivant de Tristan :

LE | PARASITE | COMEDIE. | PAR Mʳ TRISTAN. ‖ A Paris, |
Chez Augustin Courbé, dans la petite Salle | du Palais, à la
Palme. | M.DC.LIV. | *Avec Privilege du Roy.*

In-4; 6 ff. non chiffrés, et 144 pp.

Bibliothèque Nationale, Yf. Rés. 3693.

Feuillet 1. — Titre.
Feuillets 2 et 3. — *Epistre...*
Feuillets 4 et 5 recto. — *L'Imprimeur à qui lit.*
Feuillets 5 verso et 6 recto. — *Privilege du Roy.*
Feuillet 6 verso. — *Les Personnages.*
Pages 1-144. — LE PARASITE.

Cette édition, l'unique, est fort déplorable au point de vue de

---

1. *Mondory, ou l'histoire des principaux comédiens françois.*

la correction typographique. Il est évident que Tristan, très malade, ne s'en mêla guère. Il ne pouvait être question de respecter des fautes grossières et dont quelques-unes pouvaient même altérer le sens, et l'on ne s'est fait aucun scrupule de les corriger. Toutefois, bien entendu, sans qu'un mot ait été changé, sauf, au vers 910, « de ta manière », qui devait de toute évidence être remplacé par « de la manière ». Quant au vers 695, il a été laissé tel qu'il se lit sur l'imprimé ; le déplacement de la virgule ne l'aurait pas rendu plus compréhensible.

Le fait qu'il n'y a eu à l'époque aucune autre édition que celle de 1654, excluant toute variante, supprimait tout appareil critique. L'annotation a donc pu porter sur un autre point. Tristan, puisqu'il écrivait là une comédie burlesque, s'est complu à parler le langage de la rue. Ce n'est plus le style châtié des tragédies et des poésies lyriques, c'est la façon de s'exprimer du populaire, libre et peu relevée, mais, telle quelle, d'une savoureuse verdeur et souvent d'une étonnante richesse et d'un pittoresque saisissant. Tristan, dit N.-M. Bernardin, « se montre là un témoin de la langue parlée de son temps ». Bien des locutions ont vieilli, bien des allusions proverbiales ou autres sont devenues incompréhensibles. Il fallait donc les expliquer soit à l'aide des dictionnaires anciens, soit par divers rapprochements. Il est des cas où l'on n'a su y réussir. Cela ne se verra que trop.

De notre temps, il y a eu deux réimpressions du *Parasite*. La première est celle de Victor Fournel :

Les Contemporains de Molière. Recueil de comédies, rares ou peu connues, jouées de 1650 à 1680. Paris, 1863-1875, 3 volumes in-8. Tome III, pages 1-67.

Le texte a été orthographiquement rajeuni, ainsi que l'exigeait d'ailleurs le caractère de la publication. Il s'imposait peut-être moins d'y pratiquer, et sans en avertir le lecteur, des coupures en nombre assez considérable : à la scène 1 de l'Acte II, seize vers (433-448), et vingt-quatre (693-716) à la scène 5 du même Acte ; six vers (1399-1404) à la scène 6 de l'Acte IV ; enfin, huit vers (1411-1418) à la scène 1, et vingt-huit (1537-

1564) à la scène 4 de l'Acte V. En tout quatre-vingt-deux vers.
C'est beaucoup !

La suppression des derniers vers du quatrième acte évite une
rencontre des rimes féminines 1403-1404 avec les rimes féminines 1405-1406 qui ouvrent l'acte suivant. Toutefois cette correction ne s'imposait guère, car la règle de l'alternance du
genre des rimes en passant d'un acte à un autre ne s'observait
pas alors : on le voit dans *L'Étourdi*, et dans bien d'autres
pièces. Victor Fournel a tout simplement voulu, là comme dans
les autres cas, gagner un peu de place.

Quant à l'omission des vers 1537-1564, elle est de tout point
déplorable. Elle prive le lecteur d'une suite de répliques échan-
gées entre Matamore et Cascaret, qui sont d'un pittoresque
outrancier fort divertissant. De plus, cette lacune constitue un
non-sens, lorsqu'elle entraîne, et si maladroitement, l'application
à Manille du : « Il faut la mépriser... » qui s'adresse à Lucinde,
et ne peut vraiment s'adresser qu'à elle.

Est-ce par un scrupule de suivre exactement l'édition originale
que Victor Fournel a négligé de réintégrer le nom de Manille
dans la liste des Personnages ? On ne saurait le penser.

La seconde réimpression est celle d'Edmond Girard :

Les Cahiers d'un Bibliophile. I. LE PARASITE, comédie, par Tristan L'Hermite. Nouvelle édition. Texte collationné sur l'exemplaire de la Bibliothèque Nationale, par Edmond Girard. — Se
trouve en la Maison des Poètes, 42, rue Mathurin-Régnier, 42.

Petit in-4° ; 8 ff. et 144 pp., plus 3 ff.

Les pages 1-144 réimpriment, page pour page, la Comédie.

Les feuillets de la fin contiennent une *Notice bibliographique*,
mentionnant l'extrême rareté, en même temps que le « piètre
état », de l'exemplaire de 1654 qui est à la Bibliothèque Nationale,
et signalant la réédition précédente. Puis cet « Achevé d'imprimer » : L. G. — 16 décembre — MDCCCC. — E. G.

On ignorera toujours pour quelle raison Edmond Girard a cru
devoir, dans sa publication du théâtre complet de Tristan, donner le pas au *Parasite* sur *La Mariane* et toutes les autres pièces.

Il n'y a trop rien à dire sur cette sorte de fac-similé typographique, si ce n'est de constater la parfaite bonne volonté dont elle témoigne. Mais il est tout de même assez amusant de remarquer que, si Edmond Girard s'est aperçu de l'oubli du nom de Manille dans la liste des Personnages et a réparé cette carence, il a du même coup laissé tomber de cette liste le nom, tout aussi important, de Lucinde.

Passons sur d'autres vétilles. « Les Cahiers d'un Bibliophile » ne furent tirés qu'au nombre infinitésimal de deux cents exemplaires numérotés.

LE
PARASITE

COMEDIE.

PAR Mr TRISTAN.

A PARIS,

Chez AVGVSTIN COVRBE', dans la petite Salle
du Palais, à la Palme.

M. DC. LIV.

AVEC PRIVILEGE DV ROY.

MONSEIGNEVR LE DVC DE CHAVNE*.

MONSEIGNEVR,

Ce n'est point pour sauuer cét Ouurage de l'iniure du Temps, ni de la malice de l'Enuie, que ie souhaite de le mettre sous la protection d'vn nom illustre comme le vostre : Cette production d'esprit est de si peu de conse-

---

* CHARLES D'ALBERT D'AILLY, duc de CHAULNES, était le troisième fils d'Honoré d'Albert, frère du célèbre duc de Luynes. — HONORÉ D'ALBERT, connu d'abord sous le nom de marquis de Cadenet, puis, lors de son mariage, créé duc de Chaulnes, pair et maréchal de France, fut successivement gouverneur de Picardie, gouverneur des ville et citadelle d'Amiens, gouverneur de la province d'Auvergne ; il fut mis en 1636 à la tête d'une des armées de Picardie, commanda au siège d'Arras en 1640, et mourut en 1649. — L'aîné de ses fils, HENRI LOUIS, duc de Chaulnes en 1649, mourut à trente-trois ans le 21 mai 1653. Le second fils, CHARLES, marquis de Rayneval, né en 1622, mourut, avant son père et avant son frère ainé, en 1647. On lit dans les *Vers Heroïques du sieur Tristan Lhermite* (1648), aux pages 293-295, des « Stances A Madame la Duchesse de Chaune, sur le Trépas de Monsieur le Marquis de Reneval son fils. » — CHARLES D'ALBERT D'AILLY, à qui Tristan dédie *Le Parasite,* venait donc, en l'année 1653, de succéder à son père et à son frère ainé, au titre de duc de Chaulnes. Il n'est mentionné en tant que gouverneur de province que beaucoup plus tard, et encore fut-ce en Bretagne, puis en Guyenne. On peut donc s'étonner que dans cette « Epistre » Tristan lui attribue déjà des « Gouvernemens » dans une Province qui sert comme de Théâtre à la Guerre. Mais il est vrai que la phrase finit sur des verbes au futur. En outre Charles d'Albert avait fait ses premières armes avec le grade de capitaine-lieutenant des chevaux-légers de la garde ; il est possible qu'il ait alors joué « noblement » son « personnage » ; et même il ne serait peut-être pas impossible qu'il ait été délégué à quelque gouvernement subalterne tel que celui des « ville et citadelle d'Amiens », qui était dans la famille. (Cf. LE P. ANSELME, *Histoire généalogique et chronologique de la Maison royale de France, des pairs, grands officiers de la Couronne et de la Maison du Roy, et des anciens Barons du Royaume.*)

quence, qu'il n'importe guere qu'elle perisse : Et comme
les fusées qui vont par bas, elle ne brille point d'vn feu
qui doiue estre considerable pour sa durée. Ce n'est
qu'vn petit diuertissement, ce n'est que l'effet d'vne
interualle de trauail, & comme le repos d'vne estude
plus serieuse. Aussi ne vous offray-je pas cette Comedie
comme vne offrande digne de vous, ni qui soit mesme
digne de moy : Ie vous la presente pource que i'ay passion de faire esclater en public le zele particulier que i'ay
pour vostre seruice. Mon ardente deuotion fait en cét
endroit comme la colere, qui dans ses transports se sert
de toutes sortes d'armes. l'espere, MONSEIGNEVR, de
vous témoigner quelque iour ma tres-humble affection
par des marques plus magnifiques, & dont vos belles
actions seront la seule matiere. Vous auez des Gouuerne-
mens dans vne Prouince qui sert comme de Theatre à la
guerre, & vous y ioüez si noblement vostre Personnage,
que les choses que vous ferez seront bien dignes d'estre
escrites. Au reste, MONSEIGNEVR, auec l'auantage de
vous faire craindre, vous ne manquerez pas de qualitez
pour vous faire aimer. On admire en vostre ame vn
fonds de bonté noble & genereuse ; vne inclination qui
se porte aussi facilement au bien, que celle des autres se
porte au mal. On n'y void nulle pente au vice, & l'on
y remarque de grandes dispositions à l'heroïque vertu.
Ie dirois encore qu'auec vn esprit connoissant & fort, &
qui sçait discerner parfaitement les bonnes choses, vous
en vsez auec vne retenuë toute modeste, & qui fait con-
noître que vostre iugement accompagne par tout vostre
esprit, & qu'ils produisent ensemble, & la franchise dont
vous vsez enuers vos amis, & la ciuilité que vous auez
pour tout le monde. De ces grands auantages, MONSEI-
GNEVR, vous auez beaucoup d'obligation aux soins que

l'on a pris de vous eslever, mais vous en auez de plus
particulieres à l'illustre sang dont vous estes sorty. L'Art
n'a fait qu'acheuer en vous ce que la Nature auoit
auancé ; Vous auez receu les erres* de tout ce bien, dés
l'heure de vostre naissance, & vous ne pourrez iamais
manquer de faire de grands progrez vers la Gloire, lors
que vous suiurez vos propres sentimens, & que vous
receurez comme vous faites, les auis de Madame la
Duchesse de Pequigny** ; Vous sçauez aussi bien que
moy, que le Thermodon n'a iamais veu de Reyne Ama-
zone plus noble ni plus genereuse qu'elle, & que vous ne
receurez iamais de conseils qui soient bas, d'vne Mere
si glorieuse & si pleine d'esprit. Elle est capable de vous
aprendre fort bien comme il faut porter la bonne & la
mauuaise fortune. Mais, MONSEIGNEVR, par quelle
impetuosité de zele me suis-je emporté, iusques à vous
parler de cette diuine personne, dont on ne peut faire

---

    * RICHELET : *Arres*. Assurance, gage. Le mot d'arres ne se dit qu'au
figuré ; dans le propre on dit *erres*.

    ** CLAIRE-CHARLOTTE D'AILLY, comtesse de CHAULNES, dame de
PECQUIGNY, de Rayneval et de Magny, menine de l'Archiduchesse Gou-
vernante des Pays-Bas, fille unique de Philibert-Emmanuel d'Ailly,
vidame d'Amiens, était l'une des plus riches héritières de France, lorsqu'elle épousa, en 1619, Honoré d'Albert. Les d'Albert, au dire des
chroniqueurs, étaient « d'une naissance fort médiocre », et leur état de
fortune ne l'était pas moins, avant que l'aîné de la famille devînt, de par
la faveur royale, le connétable de Luynes. Claire-Charlotte apporta en
dot à son mari, notamment, le comté de Chaulnes qui fut en la circonstance érigé en duché-pairie. Après la mort de son mari, lorsque leur fils
aîné, puis leur troisième fils, prirent le titre du duc de Chaulnes, elle
s'appela Madame de PECQUIGNY. Son hôtel de la Place Royale fut une
merveille du temps pour sa somptuosité et son élégance. Sauval en
parle dans son *Histoire de la ville de Paris*, et Bois-Robert le décrit dans
une de ses *Epistres en vers* (édition Cauchie, S. T. F. M., tome II, pp. 46-
50). Tristan avait été, en 1645-1646, « chevalier d'honneur » de la
duchesse. Il écrivit pour elle une dizaine de Stances et de Sonnets des
Vers Héroïques (pp. 147-167, 293-295, 320-323). Il lui dédia sa tragédie
de *La Mort de Chrispe ou les Malheurs domestiques du grand Constantin*
(1645), en termes pompeux, et non sans déclarer qu'elle en avait « daigné
retoucher » quelques « endroits ».

d'assez grands Eloges ? Moy qui n'auois dessein que de
vous offrir vn petit Poëme tout burlesque, & prendre
occasion de là pour vous protester que ie suis auec
autant de passion que de respect,

MONSEIGNEVR,

> Vostre tres-humble & tres-
> obeïssant seruiteur,

TRISTAN L'HERMITE.

L'IMPRIMEVR

A QVI LIT.

On s'estonnera de voir vne piece toute Comique comme celle-cy, de la production de Mr Tristan ; dont nous n'auons gueres que des Pieces graues & serieuses : mais il y a des Genies capables de s'accommoder à toutes sortes de sujets, & qui se relâchent quelquefois à traiter agreablement les choses les plus populaires, apres auoir longtemps trauaillé sur des matieres heroïques. Enfin, ie vous puis asseurer que cette Comedie a des agréements qui n'ont point esté mal receus ; & qu'elle a eu l'honneur d'estre souuent representée dans le Louure, auec les mesmes aplaudissemens qu'elle auoit receus du public. Vous pouuez donc vous diuertir en cette lecture, attendant de ce mesme Autheur vn Ouurage plus magnifique, & qui demandera toute vostre attention. Mes Presses se preparent pour l'impression de son Roman de la Coromene *, qui est vne autre piece dont le Theatre s'estend sur toute la Mer Orientale, & dont les Personnages sont les plus grands Princes de l'Asie. Ceux qui sont versez dans l'Histoire n'y prendront pas vn mediocre plaisir, & mesmes les personnes qui n'auront fait lecture d'aucun Liure de voyage en ces quartiers **, ne laisseront pas à mon auis, de gouster beaucoup de douceur à lire les merueilleuses auentures qui s'y trouueront comme peintes, de la plume de Mr Tristan.

---

* Le roman de *La Coromène* ne sortit jamais des « presses » d'Augustin Courbé. Il est même douteux que ce dernier en ait jamais eu le manuscrit entre les mains. En tout cas, le manuscrit complètement terminé. Il est vrai cependant que Tristan avait songé à écrire, peut-être même commencé à écrire cet ouurage, car Pellisson dit dans son *Histoire de l'Académie françoise* (1652) : « Il travaille à un roman de plusieurs volumes qu'il appelle *la Coromène, histoire orientale.* » Mais à cette date du 19 juin 1654 que porte l'Achevé d'imprimer du *Parasite*, Tristan était fort malade, et il n'avait plus qu'une quinzaine de mois à vivre.

** RICHELET : *Quartier.* Ce mot se dit en parlant de grandes villes, de Païs, de provinces, &c. On lui dit que c'étoit les peuples les moins belliqueux de ces quartiers. (ABLANCOURT, *Tacite, Annales*, l. II.)

PRIVILEGE DV ROY

Lovis par la Grace de Dieu Roy de France & de Nauarre : A nos Amez & Feaux Conseillers les Gens tenant nos Cours de Parlement, Maistres des Requestes ordinaires de nostre Hostel, Baillifs, Seneschaux, Preuosts, leurs Lieutenans, & à tous autres de nos Iusticiers & officiers qu'il appartiendra. Salut : Nostre cher & bien Amé le sieur Tristan l'Hermite, Gentilhomme de la Maison de nostre tres-cher Cousin le Duc de Guyse*, Nous a fait remonstrer qu'il a composé depuis peu une Comedie intitulée, *le Parasite*, laquelle il est sollicité de mettre en lumiere ; ce qu'il ne peut faire sans auoir nos Lettres sur ce necessaires, qu'il nous a tres-humblement supplié de luy accorder. A ces cavses, & voulant traiter fauorablement l'Exposant, en consideration de son merite, qui est connu non seulement en France, mais en toutes les Nations qui font profession d'aymer les Lettres : Nous luy auons permis & permettons par ces presentes, de faire imprimer, vendre & debiter en tous les lieux de nostre obeïssance, ladite Comedie du *Parasite*, par tel Imprimeur ou Libraire qu'il voudra choisir, & en telles marges & tels caracteres, & autant de fois que bon luy semblera, durant l'espace de cinq ans entiers & accomplis, à compter du iour qu'elle sera acheuée d'imprimer pour la premiere fois. Et faisons tres-expresses deffences à toutes personnes de quelque qualité & condition qu'elles soient, de l'imprimer, vendre ny distribuer en aucun lieu de nostre obeïssance, sans le consentement de l'Exposant ou de ceux qui auront son droit, sous pretexte d'augmentation, correction, changement de titre, fausses marques ou autrement, en quelque sorte & maniere que ce soit, ny mesme d'en emprunter le titre ou frontispice, le tout à peine de quinze cens liures d'amende, payables sans deport par chacun des contreuenans, & applicables vn tiers à Nous, vn tiers à l'Hostel Dieu de Paris, & l'autre tiers au Libraire dont l'Exposant se sera seruy, de confiscation des Exemplaires contrefaits, & de tous despens, dommages & interests ; à condition qu'il sera mis deux Exemplaires de ladite Comedie en nostre Bibliotheque publique, & vn en celle de nostre tres-cher & Feal le sieur Molé Cheualier Garde des Seaux de France, auant que de l'exposer en vente, & que les presentes seront registrées gratuite-

---

* Dans les dernières années de sa vie, Tristan fit en effet partie de la maison de Henri II de Lorraine, duc de Guise, et c'est à l'Hôtel de Guise (actuellement les Archives Nationales) qu'il mourut le 7 septembre 1655.

ment dans les Registres de la Communauté des Libraires de nostre bonne Ville de Paris, suiuant le Reglement fait sur ce sujet par nostre Cour de Parlement, à peine de nullité d'icelles. Du contenu desquelles Nous voulons & vous mandons que vous fassiez ioüir pleinement & paisiblement l'Exposant, & ceux qui auront droit de luy, sans souffrir qu'il leur soit donné aucun empeschement. Voulons qu'en mettant au commencement ou à la fin de ladite Comedie vn Extrait des presentes, elles soient tenuës pour deuëment signifiées, & que foy y soit adioustée, & aux copies collationnées par vn de nos Amez & Feaux Conseillers & Secretaires, comme à l'original. Mandons aussi au premier nostre Huissier, ou Sergent sur ce requis, de faire pour l'execution d'icelles tous Actes & Exploits necessaires, sans demander autre permission. CAR tel est nostre plaisir, nonobstant oppositions ou appellations quelconques, & sans preiudice d'icelles, pour lesquelles nous ne voulons qu'il soit differé Clameur de Haro, Chartre Normande, & autres Lettres à ce contraires. DONNÉ à Paris le 23. iour de Mars, l'an de grace mil six cens cinquante-quatre. Et de nostre Regne l'onziesme. Par le Roy en son Conseil, CONRART.

Et ledit sieur TRISTAN L'HERMITE a cédé & transporté son droit de Priuilege à AVGVSTIN COVRBÉ Marchand Libraire à Paris, pour en ioüir le temps porté par iceluy, ainsi qu'il a esté accordé entr'eux.

Acheué d'imprimer pour la premiere fois, le 19. Iuin 1654.

Les Exemplaires ont esté fournis.

Registré sur le Liure de la Communauté,
le dernier Auril 1654 conformément à
l'Arrest du Parlement du 9. Auril 1653, à
condition que le present Priuilege sera cédé
à vn Marchand Libraire, ou Imprimeur. BALLARD, *Sindic.*

LES PERSONNAGES *.

PHENICE, seruante de Manille.

LVCINDE, fille de Manille.

FRIPESAVCES **, Parasite.

LE CAPITAN, Matamore.

CASCARET, valet du Capitan.

LISANDRE, amoureux de Lucinde.

PERIANTE, amy de Lisandre,

ALCIDOR, mary de Manille.

LVCILLE, pere de Lisandre.

DES ARCHERS.

La Scene est à Paris, deuant la porte du logis de Manille.

* Il est à remarquer que cette liste des *Personnages* ne mentionne pas MANILLE, femme d'Alcidor et mère de Lucinde, dont le rôle est cependant de la première importance. Sans doute l'imprimeur a-t-il jugé suffisant que ce nom figurât par trois fois dans la Liste, et une quatrième fois dans l'indication du lieu où la scène se passe.

** Sans poinct de faulte y estoit de vivres abundance : & furent apprestez honnestement par Frippesaulce, Hoschepot et Pilleverjus, cuisiniers de Grandgousier. (RABELAIS, I, XXXVII.)

LE

PARASITE

ACTE PREMIER.

SCENE PREMIERE.

PHENICE.

Que le poste est mauuais pour vne Confidente,
De passer vne nuit pres d'vne ieune Amante !
Elle est à babiller du soir iusqu'au matin
Et l'on dormiroit mieux prés de quelque Lutin.
5   O l'importun effet d'vne amoureuse cause !
L'on dit & l'on redit cent fois la mesme chose,
On se souuient de tout, & l'on en vient troubler
Celles qui du sommeil se sentent accabler.
Que de propos diuers dessus vne vetille ?
10   On soûpire sans cesse, à toute heure on fretille ;

On vient vous demander, en vous tirant le bras,
Dites-moy, dormez-vous ? ou ne dormez-vous pas ?
Lucinde sans mentir, n'a point de conscience :
Elle ne m'a donné, ny paix, ny patience,
15   J'en auray ce matin les yeux tous endormis ;
J'aymerois mieux coucher pres d'vn tas de fourmis.
Cent puces dans mon lict m'auroient moins esueillée :
Mais la voicy venir. Quoy ? si tost habillée ?
Des-ja sur mes talons ? Quoy donc ?

14. FURETIÈRE : *Patience* signifie aussi Repos. Il a un voisin chica-neur qui ne lui donne aucun moment de patience, qui ne le laisse pas en patience par les procès qu'il lui suscite tous les jours.

15. ...mes yeux tous enflez de larmes... (TRISTAN, *Le Page dis-gracié*, I, xxx.)

SCENE SECONDE.

LVCINDE. PHENICE.

LVCINDE.

C'est que ie veux
20   Encor sur ce sujet te dire vn mot ou deux.

PHENICE.

Encore vn mot ou deux ? Apres plus de cent mille ?

LVCINDE.

Souuiens-toy bien de tout.

PHENICE.

O recharge inutile.
Dans cette inquietude & ces desirs pressans,
Ie crains auec raison que vous perdiez le sens.
25   Rentrez : & respondez si Manille m'appelle,
Que ie suis à la halle à battre la semelle,
Et que chez son Tailleur, comme elle a commandé,
Ie vais voir si son corps est bien racommodé ;
Et si la robbe aussi qu'elle met aux Dimanches,

---

22. FURETIÈRE : *Recharge*. Réitération d'un ordre, d'une recommanda
tion, d'une demande, d'une sollicitation.
26. FURETIÈRE : On dit populairement *Battre la semelle* pour dire
Voyager à pied. — Voir vers 257. Ici, il ne s'agit que de marcher, d'aller et venir.
28. FURETIÈRE : *Corps* se dit aussi des habits qui servent à couvrir
cette partie du corps qui va du cou jusqu'à la ceinture. Il faut essayer
ce corps de pourpoint, ce corps de juppe.

30   Est ralongée en bas, & retressie aux manches.

LVCINDE.

Mais d'vne bonne sorte instruis nostre Valet :
Que Lisandre arriuant reçoiue mon poulet,
Qu'il sçache ce qu'il chante, & qu'il s'en rememore.

PHENICE.

Allez, i'en prendray soin.

LVCINDE.

                              Ie te le dis encore.

PHENICE.

35   Rentrez, nous perdons temps en propos superflus,
        Ce n'estoit que deux mots ; en voila trente & plus.
            Estant seule.
        Mais où peut-on treuuer le drole que ie cherche ?
        De mesme qu'vn oyseau qui se bat sur la perche,
        Il cajole quelqu'vn pour auoir vn repas ;
40   Et le Diantre d'Enfer ne le trouueroit pas.
        Toutefois le voicy.

---

32. FURETIÈRE : *Poulet* signifie aussi un billet de galanterie, ainsi nommé parce qu'en le pliant on y faisait deux pointes qui représentaient les ailes d'un poulet.

38. HUGUET, *Le Langage figuré au seizième siècle* : La fauconnerie fournit l'expression *se battre à la perche*. L'oiseau de proie attaché à une perche fait de vains efforts pour s'envoler. *Se battre à la perche* signifie donc se donner beaucoup de peine sans obtenir aucun résultat.

40. FURETIÈRE : *Diantre*. Terme populaire dont se servent ceux qui font scrupule de nommer le Diable.

SCENE TROISIESME.

FRIPESAVCES. PHENICE.

FRIPESAVCES.

O la rigueur estrange !
Est-il donc ordonné que iamais ie ne mange ?
Ay-ie donc tracassé iusqu'à cette heure en vain ?
Ne pourray-je flatter ou contenter ma faim ?
45   O Cieux, quelle pitié !

PHENICE.

Hola ho, Fripesauces.

FRIPESAVCES.

Que mon ventre applaty fait eslargir mes chausses !
Si ie ne bois bien-tost à traits frequents & longs,
On les verra dans peu tomber sur mes talons.
O Cieux quelle pitié ! quelle misere extrême !
   Phenice luy tape sur l'épaule.
50   Ha ! Phenice, c'est toy ?

PHENICE.

Toy, n'es-tu plus toy-mesme ?

FRIPESAVCES.

Que ton nez aussi bien n'est-il vn pied de veau ;
Ie serois fort habille à torcher ton museau.

---

43. FURETIÈRE : *Tracasser*. Aller et venir, s'agiter...
52. RICHELET : *Museau*. Nez, visage ; au figuré et dans le style
comique. — Ardez le beau museau. (MOLIÈRE, *Dépit amoureux*, IV, IV.)

Si tes deux yeux estoient deux pastez de requeste,
Ie ficherois bien-tost mes ongles dans ta teste.
55   Et si ton scoffion auoit tous les appas
D'vne ruelle de veau bien cuite entre deux plats,
En l'humeur où ie suis, Phenice, ie te iure
Que i'aurois toute à l'heure aualé ta coëffure.

PHENICE.

Quoy, manger si matin ? L'appetit furieux.

FRIPESAVCES.

60   Ma bouche à mon resveil s'ouure deuant mes yeux ;
Bride cet appetit d'vne raison meilleure :
Ie voudrois estre aueugle & manger à toute heure.

PHENICE.

Escoute donc vn peu.

FRIPESAVCES.

Que me veux-tu donner ?

PHENICE.

Parlons d'vn grand secret.

FRIPESAVCES.

Parlons de desieuner.

---

53. FURETIÈRE : On appelle *pâtés de requête* de petits pâtés que l'on
mange froids et faits de menu de volaille. — On appelle chez les
Rôtisseurs du *menu* les foies, bouts d'ailes, gésiers et autres choses... —
Ne trouvant dans Paris aucun Pâtissier qui sur un de ses sonnets lui
voulut faire crédit seulement d'un Pâté de requête. (DASSOUCY, *Avantures
d'Italie*, XII.)
55. FURETIÈRE : *Escoffion*. Terme populaire qui se dit de la coiffure
des femmes du peuple et des paysannes, des femmes coiffées malpro-
prement. Les harengères qui se querellent s'arrachent leurs escoffions. —
D'abord leurs scoffions ont volé par la place. (MOLIÈRE, *L'Étourdi*, V, IX.)

PHENICE.

65 Il seroit question de faire vn prompt message.

FRIPESAVCES.

Il seroit question de manger vn potage,
D'vne piece de bœuf se desgraisser les dents,
Et mettre auec loisir des meubles là dedans.

PHENICE.

Si tu sçauois comment nostre Lucinde pleure,
70 Et ce qu'elle m'a dit encor depuis vne heure
Sur ces affections, ie te iure ma foy
Que tu pourrois pleurer comme elle & comme moy.

FRIPESAVCES.

Ie te iure ma foy que ma pance est plus séche
Que n'est vne alumette, vne esponge, vne méche,
75 Et qu'en vn alambic tres-difficilement
On en pourroit tirer deux larmes seulement.

PHENICE.

Escoute ce qu'il faut que tu die à Lisandre ;
Il doit estre arriué.

FRIPESAVCES.

Ie ne sçaurois t'entendre.
Si ie n'ay comme il faut fait ioüer le menton,
80 Ce qu'on dit en François me semble bas Breton :
Ie me treuue assoupy, ie baille, ie m'alonge,
Et prens vn entretien pour l'image d'vn songe.

PHENICE.

Ie vais donc te querir d'vn certain reliquat.

FRIPESAVCES.

Qu'il soit bien releué, car mon ventre est bien plat :
85   Et sur tout souuiens-toy de remplir la bouteille ;
        Seul.
O ie croy que ma faim n'eust iamais de pareille !
Ie sens dans mes boyaux plus de deux milions
De chiens, de chats, de rats, de loups, & de lions,
Qui presentent leurs dents, qui leurs griffes estendent,
90   Et grondans à toute heure, à manger me demandent.
I'ay beau dedans ce gouffre entasser iour & nuit,
Pour assouuir ma faim ie trauaille sans fruit.
Vn grand jarret de veau nageant sur vn potage,
Vn gigot de mouton, vn cochon de bon âge,
95   Vne langue de bœuf, deux ou trois saucissons
Dans ce creux estomac, souflez, sont des chansons.
Vn flacon d'vn grand vin, d'vn beau rubis liquide,
Si tost qu'il est passé laisse ma langue aride.
Ie la tire au dehors, le polmon tout pressé,
100   Comme les chiens courants apres qu'ils ont chassé.
Vn nouuel hipocras, ie veux dire Hipocrate,
Qui la teste souuent de ses ongles se grate,
Et pour gagner le bruit de fameux Medecin,
Touche souvent du nez au bourlet d'vn bassin,

---

83. RICHELET : *Reliqua.* Ce mot signifie *reste.*

101. FURETÈRE : *Hypocras.* Espèce de breuvage délicieux qu'on fait d'ordinaire avec du vin, du sucre, de la canelle, du girofle, du zinzembre et autres ingrédients. Ménage approuve la conjecture de ceux qui dérivent *hypoçras* d'*Hypocrate* comme ayant été l'inventeur de cette composition.

104. FURETIÈRE : On appelle aussi *bassin* de chambre un bassin creux propre à recevoir les excréments, particulièrement ceux des malades. On

105   Dit assez que ma faim est vne maladie ;
      Mais il ignore encor comme on y remedie.
      Ces discours importuns ne font que l'irriter.
      Ie voy que c'est vn mal difficile à traitter.
      Quand i'aurois aualé cent herbes, cent racines,
110   Receu vingt lauemens, humé vingt medecines
      Qui me feroient aller, & par haut & par bas,
      Ie me connois fort bien, ie n'en guerirois pas.
      O que d'vn bon repas la rencontre est heureuse !
      Ne viendra-t-elle point ? depesche, paresseuse.

dit qu'il faut garder leurs bassins, pour dire qu'il faut faire voir leurs
selles aux Médecins. — On met un *bourrelet* sur un bassin de chambre.
Il est d'ordinaire garni de bourre. — ... dans un bassin, Des ragoûts
qu'un malade offre à son médecin. (RÉGNIER, *Satyre IV.*) — Cf. vers 873.

SCENE QVATRIESME.

Fripesavces. Phenice.

Fripesavces.

115   Descouure donc ce plat que tu caches si bien.

Phenice.

Escoute moy deuant, ou bien tu ne tiens rien.
Il faut estre attentif sur un fait qui nous touche,
Tu dois ouurir l'oreille auant qu'ouurir la bouche.

Fripesavces.

Ie puis en t'escoutant les ouurir toutes deux.

Phenice.

120   Escoute seulement.

Fripesavces.

Que ie suis malheureux !
Donne vn peu de matiere à ma faim qui s'irrite.

Phenice.

Tu ne mangeras point, qu'apres la chose dite.
Tu sçay que soûpirant sous de seueres loix
Nostre ieune Orpheline est reduite aux abois ;

---

115. *Indication de scène* : Phénice est revenue, porteuse d'un plat
couvert.
124. Furetière : *Orphelin*. Enfant mineur qui a perdu son père.

125   Et n'ose contredire à Manille sa mere,
      Qui la veut marier par vn ordre seuere ;
      Qu'elle pleure tousiours son rigoureux destin.

FRIPESAVCES.

Moy ie n'en pleure pas, on y fera festin.

PHENICE.

Escoute ! ô qu'vn yurongne est vne chose estrange !

FRIPESAVCES.

130   Mais tu parles tousiours, & iamais ie ne mange,
      Ie pourrois t'escouter & macher doucement.

PHENICE.

Tu macheras apres, escoute seulement.
Tu sçay que cette fille à bon droit affligée
Par inclination est ailleurs engagée.

FRIPESAVCES.

135   Tant pis.

PHENICE.

       Et qu'elle attend son Lisandre aujourd'huy,
Pour apporter de l'ordre à ce pressant ennuy :
Il faut aller seruir cette pauure innocente.

FRIPESAVCES.

Mais la faim dont i'enrage est encor plus pressante.
     Il veut toucher au plat.

PHENICE.

Tout beau ! Faut-il soufrir qu'vn maistre de filoux

140   Malgré ses sentiments deuienne son espoux ?
       Et qu'vn homme d'honneur, plus noble & plus sortable,
       En soit ainsi frustré ?

FRIPESAVCES.

             Non, ie me donne au Diable.

PHENICE.

       Toutefois le temps presse & ce sera demain
       Qu'elle sera forcée à luy donner la main ;
145   Si Lisandre aduerty bien-tost par cette lettre,
       Pour rompre ce dessein, ne se vient entremettre.

FRIPESAVCES.

       Mais comment fera-t'il ?

PHENICE.

                   Ie te diray comment.

FRIPESAVCES.

       Dis donc. Ie n'en puis plus.

PHENICE.

                        Attends vn seul moment,
       Manille quelquefois escoute à cette porte.
150   Tu sçais bien qu'Alcidor est Provençal.

FRIPESAVCES.

                              Qu'importe ?

PHENICE.

       Quelques trois ans apres qu'ils furent mariez,
       Demeurans à Marseille, ils furent conuiez

Par la serenité du plus beau jour du monde,
D'aller dans vn Esquif prendre le frais sur l'onde.
155   Manille par foiblesse esuita le malheur,
Pour estre sur la mer sujette aux maux de cœur,
Mais son mary s'embarque auecque la brigade,
Qui pensoit s'esgayer tout au long de la rade :
Il y porte son fils qu'il ne pouuoit quitter,
160   Et dont l'âge à deux ans à peine eust pû monter ;
Et laisse sur le bord sa tres-chere Manille,
Qui donnoit à tetter à Lucinde sa Fille.
Ceux qui s'estoient commis à ce fier élement
Veirent vn temps si beau changer en vn moment :
165   Leur Esquif fut bien loin poussé d'vn vent de terre,
Il fit vn grand orage, il fit vn grand Tonnerre,
Et mal-traittez ainsi du soir iusqu'au matin,
Le jour les fit trouuer proches d'vn Brigantin :
C'estoient des escumeurs, des Turcs, qui les surprirent,
170   Et quelque temps apres en Alger les vendirent ;
Et nous sceumes l'estat de leur captiuité,
D'vn de ces prisonniers qui s'estoit rachepté.
Mais en quatre ou cinq ans comme on a pû connoistre,
Ils ont changé de ville, ils ont changé de maistre.
175   Et le malheur est tel, que depuis quatorze ans,
Manille ne sçait plus s'ils sont morts ou viuants.
Si Lisandre arriué, comme vn forçat s'habille

---

155. RICHELET : *Foiblesse*. Le peu de force et de vigueur d'une personne.

157. FURETIÈRE : *Brigade*. Ce mot se dit aussi quelquefois dans le style badin et enjoué, et signifie une troupe de plusieurs personnes. — Quelqu'un de sa brigade. (MOLIÈRE, *L'Étourdi*, III, VI.)

169-170. C'est qu'en fait d'aventure il est très ordinaire De voir gens pris sur mer par quelque Turc corsaire, Puis être à leur famille à point nommé rendus Après quinze ou vingt ans qu'on les a crus perdus. (MOLIÈRE, *L'Étourdi*, IV, I.)

177. *Comme un forçat*, c'est-à-dire comme un captif « forcé » de ramer

Et se vient presenter au logis de Manille,
Et bien instruit par toy, luy fait certains recits,
180   Qui pourra l'empescher de passer pour son fils ?
L'autre âgé de deux ans fut pris dans cette barque.

FRIPESAVCES.

Son vray fils sur son corps peut auoir quelque marque
Qu'elle ne verroit pas sur cet autre.

PHENICE.

                    Point, point,
Nous sommes fortement assurez sur ce point,
185   Manille a dit cent fois qu'elle verroit parestre
Son fils deuant ses yeux sans le pouuoir connestre.

FRIPESAVCES.

Et ce fils retrouué, qu'on estimoit perdu,
Rompra-t-il aisément cet himen pretendu ?
Manille au Capitan sa parole a donnée.

PHENICE.

190   Il fera tout au moins differer l'Himenée ;
Et nous trauaillerons apres ce bel effet,
Afin que le traitté soit rompu tout à fait.

FRIPESAVCES.

La fourbe est excellente & bien imaginée :
Et pourueu seulement qu'elle soit bien menée,
195   A ton honneur, Phenice, elle reüssira.

sur les galères barbaresques. Voir les caleçons et le bout de chaîne du
vers 1283.
    182-186. Devez-vous pas savoir Qu'il estoit fort petit alors qu'il l'a
pu voir ? (MOLIÈRE, *L'Étourdi*, IV, 1.)

PHENICE.

A son gré là dessus, le Ciel disposera,
C'est à toy seulement d'instruire bien Lisandre,
Et le bien conseiller sur l'habit qu'il doit prendre :
Et sur ce qu'il doit dire, afin qu'à la maison,
200   Il passe pour Sillare auec quelque raison.
Il doit adroittement debiter ses voyages,
Despeindre les païs, les citez, les passages,
Les mœurs des habitans qu'il aura frequentez,
Les noms des mescreans, les noms des racheptez.

FRIPESAVCES.

205   J'entends bien tout cela, laisse, laisse moy faire,
Il sçaura sur ce point ce qu'il est necessaire :
Beuuant vison visu d'vne bonne façon,
Comme vn sçauant Docteur ie luy feray leçon.
Montre donc ce paquet.

PHENICE.

              La despence est fermée,
210   Et ie n'ay que ce plat pour ta gueule affamée :
Mais fay bien ton message & quand tu reuuiendras,

---

201. FURETIÈRE : On dit aussi simplement qu'un homme *débite* bien pour dire qu'il dit bien ce qu'il dit, qu'il fait bien un conte, une histoire. — Cf. MOLIÈRE, *L'Étourdi*, IV, I et II.

202. Mais le nom des pays où j'auray pu les voir ? (MOLIÈRE, *L'Étourdi*, IV, I.)

207. RICHELET : *Vison visu.* C'est à dire vis à vis. Elle est toute vison-visu de mon logis. — HUGUET, *Glossaire du dix-septième siècle :* Ils sont logés vison visu. (LA FONTAINE, *La Coupe Enchantée*, sc. VI.)

209. FURETIÈRE : *Dépense* ou Gardemanger est un lieu proche de la cuisine, où on serre les provisions de la table, et ce qui y sert ordinairement. — Cf. vers 230.

FRIPESAVCES.

Ouy, ouy, mais de tels mets ne me contentent pas,
N'as-tu rien que cela ? la pance est bien remplie,
Lors que l'on a le bien d'aualer vne oublie.

PHENICE.

215   Va, tu feras tantost vn solide repas :
Mais ne retarde plus, diligente tes pas :
Sers bien ces deux Amants, il faut que je t'en presse,
Ie crains beaucoup pour eux.

FRIPESAVCES.

                    Tu crains que ie n'engraisse.

PHENICE.

Lescher encor le plat ! n'as-tu pas acheué ?
220   Va-t'en trouuer Lisandre, il doit estre arriué.
Trauaille à destourner le sort qui le menace,
Tu sçais bien le logis, il descend à la place.

FRIPESAVCES.

Ie sçay bien, ie sçay bien, à la place Maubert.
Pour le moins si la faim ne me prend pas sans vert
225   A moitié du chemin,

---

214. FURETIÈRE : *Oublie*. Pâtisserie ronde, déliée et cuite entre deux fers.

224. FURETIÈRE : Jouer au verd. Sorte de jeu d'enfants ou de jeunes personnes, dans lequel ceux qui jouent s'engagent à avoir toujours sur eux quelque feuille de verd cueilli de la journée, et où chacun tâche de surprendre son compagnon dans un temps où il n'en a point. De là vient qu'on dit figurément Prendre quelqu'un sans verd, pour dire le prendre au dépourvu. — C'est ce qui fait toujours que je suis pris sans verd. (MOLIÈRE, *L'Étourdi*, III, IV.) — Cf. LA FONTAINE, *Ragotin*, I, I, III, IX ; *Je vous prends sans verd*, sc. V, VI, VIII, IX, X, XI, XVI.

PHENICE.

Tréue de raillerie.

FRIPESAVCES.

Ou si ie ne m'arreste à la Rotisserie
Dont l'odeur pour mon nez est vn secret aimant,
Ce papier trouuera Lisandre & promptement.

PHENICE.

Va viste, ie te prie, & pour ta recompense
Ie prendray quelque chose encor dans la despence.

FRIPESAVCES.

Va donc mettre à l'escart quelque chose de bon,
Quelque langue de bœuf, ou quelque gros jambon,
Quelque longe de veau, quelque grasse eschinée,
Qui me puissent aider à passer la iournée.

SCENE CINQVIESME.

Le Capitan. Fripesavces. Cascaret.

Le Capitan.

235 Hola, ho, Bourguignon, Champagne, le Picard,
Le Basque, Cascaret,

Fripesavces.

Tirons nous à l'escart,
Voicy ce Capitan, qui fait trembler la Terre,
Et qui parle si haut qu'il semble d'vn Tonnerre.

Le Capitan.

Las-d'aller, Triboulet, où sont tous mes valets?

Cascaret.

240 Ils sont sur les degrez de la Cour du Palais.

Le Capitan.

Ie ne suis point seruy, toute cette canaille
Se cache au cabaret, ainsi que Rats en paille.
Hola! qu'on vienne à moy.

Cascaret.

Que vous plaist-il, Monsieur?

235. Hola mes gens! mon train! ô les doubles Coquins... (Scarron, *Dom Japhet d'Arménie*, II, 1.)
239. Et là furent reconfortez de leur malheur par les bonnes paroles d'ung de leur compaignie nommé Lasdaller. (Rabelais, I, xxxviii.) — Le Roux, *Dictionnaire Comique* : Un Las d'aller. C'est un fainéant, un paresseux, qu'on a de la peine à faire travailler.
240. Furetière : *Degré*. Escalier qui sert à monter et descendre. Est aussi chaque marche d'un escalier. — Pour bien entendre cette plaisanterie, il faut savoir que du temps de l'auteur, les degrés de la Cour du Palais étaient le lieu où s'assemblaient les valets sans condition et qui cherchaient des Maîtres. (Note des fr. Parfaict, t. VIII, article sur *Le Parasite*.)

Le Capitan.

Où sont tous ces coquins ? i'enrage de bon cœur,
45   Ils ne respondent point lors que ie les appelle.

Cascaret.

Monsieur,

Le Capitan.

        Ie leur rompray quelque iour la ceruelle :
Où sont tes compagnons qui ne me suiuent point ?

Cascaret.

L'vn racoutre ses bas & l'autre son pourpoint,
Et nul n'a de souliers, car vostre seigneurie
250   N'a passé de trois mois par la sauatterie ;
Elle y deuroit aller.

Le Capitan.

        Ie veux auparauant,
Afin que vous ayez de bon cuir de Leuant,
Aller prendre Maroc, Alger, Tunis, Biserte,
Et quelqu'autre païs dont i'ay iuré la perte,
255   Et nous aurons alors d'assez bons maroquins,

Fripesavces.

Pour te sangler le nez ?

Le Capitan.

        Pour chausser des coquins.

Fripesavces.

S'ils ont durant ce temps à battre la semelle,

Qu'ils se tiennent bien gays, leur attente est fort belle.

CASCARET.

Monsieur, en attendant, irons nous tout nuds pieds ?

LE CAPITAN.

260 Ie voudrois que ces gueux fussent estropiez.

CASCARET.

Et du linge, Monsieur ?

LE CAPITAN.

l'iray prendre la Chine ;
Il y croit du cotton dont la toile est bien fine.

CASCARET.

Monsieur, auant ce temps, il seroit à propos
De nous donner du lin.

LE CAPITAN.

Ayons quelque repos.
265 Mes barbes, mes genets, ont-ils eu de l'auaine ?
C'est mon soin principal.

CASCARET.

C'est ta fiévre quartaine.
Il n'a iamais nourry qu'vn bidet & qu'vn chien.

---

265. FURETIÈRE : *Barbe* se dit d'un cheval de Barbarie qui a une taille
menue et légère, et les jambes déchargées. — *Genêt.* Espèce de cheval
venant d'Espagne, qui est de petite taille, mais bien proportionnée.

266. FURETIÈRE. On dit proverbialement *Vos fièvres quartaines* quand
on veut faire une imprécation contre quelqu'un. — RICHELET : *Quartaine.* Ce mot ne se dit qu'au féminin en parlant de la fièvre quarte, et
toujours en forme d'imprécation. — Si vous y manquez, votre fièvre
quartaine. (MOLIÈRE, *L'Étourdi*, IV, VI.) — Cf. vers 1024 et 1702.

LE CAPITAN.

Tu dis ?

CASCARET.

Que le bidet sur tout se porte bien.

LE CAPITAN.

Ce petit animal est vne aimable beste ;
270 On le pourroit monter mesme en vn iour de feste.

CASCARET.

Ma foy sur vn baudet on seroit mieux mónté.

LE CAPITAN.

Comment ?

CASCARET.

Qu'il n'est pas bon quand il fait bien crotté.

LE CAPITAN.

Mais durant les beaux iours il fait rage en campagne,
Il part bien de la main.

CASCARET.

Ouy, comme vne montagne.

LE CAPITAN.

275 I'en ay bien refusé prés de deux cens escus.

---

274. FURETIÈRE : *Main*, en terme de manège signifie les pieds de
devant du cheval. Un cheval qui est bien *dans la main* est celui qui
obéit à la main, qui répond à la main du cavalier. Faire partir un cheval *de la main*, c'est le pousser de vitesse ; et un beau partir de la main
se dit de la course qu'on lui fait faire sur une ligne droite.

Cascaret.

Enuiron quinze francs.

Le Capitan.

Quoy ?

Cascaret.

L'on les offre & plus.

Fripesavces.

O les plaisants faquins ! ce Dialogue est drole.

Le Capitan.

Il te reste beaucoup de ma demy pistolle.
Va-t'en donc à la Halle & m'achepte à manger.

Fripesavces.

280   Ie croy qu'il dit cela pour me faire enrager :
Il va bien-tost disner, il faut que ie le suiue.

Le Capitan.

Que nous ayons sur tout la chataigne & l'oliue.

Fripesavces.

Il vaudroit mieux auoir quelque bon Aloyau.

Le Capitan.

De ces prunes aussi, qui laissent le noyau.
285   Mais arreste, voila l'escuyer de Lucinde.

---

285. *Indication de scène* : Le Capitan aperçoit Fripesauces, qui jusqu'alors s'était dissimulé.

Fripesavces.

Qu'il a l'estomac hault, que n'est-il vn coq d'Inde !
Ie l'irois attaquer encor qu'il fut bardé.

Le Capitan.

Le pauuret a fremy quand ie l'ay regardé :
Hola, maistre d'Hostel.

Fripesavces.

Vostre Grandeur m'honore.

Le Capitan.

290   Que fait donc ta maistresse ?

Fripesavces.

Elle dormoit encore,
A l'heure que ie suis sorty de la maison.

Le Capitan.

C'est bien fait qu'elle dorme, elle a bonne raison.
Auant que nous entrions sous les loix d'Himenée,
Elle peut bien dormir la grasse matinée ;
295   Pour auoir le teint frais, le visage arrondy,
La gorge ferme & pleine & le sein rebondy.
Car elle est destinée, ainsi qu'on le remarque,
Pour estre en peu de temps vn morceau de Monarque,
Et si tout l'Vnivers mesme n'est en erreur,

---

287. Dict. de l'Académie : *Barde*. Armure de cheval faite de lames
de fer pour luy couvrir le poitrail et les flancs. On appelle figurément
barde une tranche de lard fort mince de laquelle on couvre des chapons,
des gelinottes, des cailles et autres oiseaux si gras qu'ils n'ont pas
besoin d'estre lardez. — Cf. vers 1394.

300   D'vn homme qui vaut bien trois fois vn Empereur.
       Ie m'en allois la voir, cette belle assassine.

FRIPESAVCES.

Pour aujourd'huy, Monsieur, elle prend medecine.
Toutefois,

LE CAPITAN.

          En ce cas, il s'en faut bien garder.
       Ie vy pour la seruir, non pour l'incommoder.
305   Ne luy parle-tu point par fois de mes proüesses ?
       Dis-le moy.

FRIPESAVCES.

          Non, Monsieur, mais bien de vos largesses,
       Car elle sçait assez vos glorieux exploits.

LE CAPITAN.

       Tu te souuiens toûjours du quart d'escu de poids :
       Attendant le disner il faut que ie te die
310   Si i'ay le bras bien ferme & l'ame bien hardie ;
       Il faut qu'en peu de mots ie te face sçauoir
       Si dans vn beau combat i'ay bien fait mon deuoir.

FRIPESAVCES.

Tout ce qu'il vous plaira.

---

301. FURETIÈRE : *Assassin* se dit encore au figuré et dans le style
comique de tout ce qui a assez de charmes pour causer de la langueur
et pour faire mourir d'amour. — Que dit-elle de moy, cette gente assassine ? (MOLIÈRE, *L'Etourdi*, I, v.)
302. La belle est dans le lit, et ne peut vous parler. (MOLIÈRE,
L'Etourdi, III, ix.)
308. FURETIÈRE : On dit qu'une pistole *pèse*, quand elle a le *poids*
requis par l'Ordonnance du pays. — Cf. vers 357 : ... si ce quart d'escu
pèse.

Le Capitan.

Escoute des merueilles.

Fripesavces.

Pour obliger mon ventre afflige mes oreilles.

Le Capitan.

315 Contre le Preste-jan venant de batailler,

Fripesavces.

O que ces longs discours me vont faire bailler !

Le Capitan.

I'allay faire trembler plus de quatre Couronnes.

Cascaret.

O qu'il est en humeur de t'en donner de bonnes !

Le Capitan.

Ce bras fut affronter cinq ou six Roitelets,
320 Et leur tordit le col ainsi qu'à des poulets.
Monbaze, Soffola, de mesme que Melinde,
Se virent desolez pour l'amour de Lucinde.
Sur le bruit que son pere en ces lieux fut traisné,
D'aller rompre ses fers ie fus determiné.

---

315. Furetière : *Le Preste ou Prestre Jan*. On appelle ainsi l'Empereur des Abyssins parce qu'autrefois les Princes de ce Pays étaient effectivement Prêtres et que le mot Jean en leur langue veut dire Roi. — Interprétation d'ailleurs fantaisiste. *Preste Jan* viendrait de *Pharas ta Jan*, sens littéral : lion sur cheval. (Bernardin, *Hommes et mœurs au XVIIe siècle, Zaga-Christ.*)

321. Dict. de Trévoux : *Monbaza*, ville d'Afrique ; c'est la résidence du roi de Mélinde. Elle est située sur la côte orientale de l'île de Monbaza. — *Sofala*. Nom d'une ville de la côte orientale des Cafres, dans la Basse Ethiopie. Elle est capitale du royaume de Sofala, et située sur une petite île près de l'embouchure de la rivière de Zambèze. — *Mélinde*, nom d'une ville de l'Ethiopie. Elle est située sur la côte du Zanguebar.

FRIPESAVCES.

325   Quelle obligation pour vn si beau voyage !

CASCARET.

Il se rit de mon Maistre, & i'en creue de rage.

LE CAPITAN.

Tout cela n'a pû plaire à ce cœur sans pitié;
Ie n'ay pû iusqu'icy gagner son amitié.

FRIPESAVCES.

Ie ne croy pas, Monsieur, qu'elle soit si cruelle,
330   Quand vous aurez couché quatre nuits auec elle.

LE CAPITAN.

D'vn autre exploit encor tu seras estonné.

FRIPESAVCES.

Mais ne disnez vous point ? voila Midy sonné.

LE CAPITAN.

Tu ne veux pas entendre vn exploit admirable ?

FRIPESAVCES.

Monsieur, il seroit temps de s'aller mettre à table,
335   Ie sçay bien que chez vous, vous auez de bon vin.

LE CAPITAN.

Tu boirois de bon cœur.

FRIPESAVCES.

Vous parlez en Devin.

LE CAPITAN.

Escoute encore vn peu.

FRIPESAVCES.

Monsieur, le temps me presse.

LE CAPITAN.

Fay moy toûjours seruice aupres de ma Maistresse,
Ie te feray present d'vn pot dont ie fais cas.

FRIPESAVCES.

340   Sera-t-il bien garny ?

LE CAPITAN.

Garny ? de taffetas.

FRIPESAVCES.

Ce n'est donc pas vn pot pour mettre à la cuisine ?

LE CAPITAN.

Ce pot est vn armet d'vne estoffe bien fine ;
Ie veux d'vn Corselet encor te regaler,
Comme d'vn coutelas qui sifle parmy l'air,
345   Et tranche en deux les Sphinx, les Hydres, les Chimeres.

339-350. FURETIÈRE : Pot, en termes de guerre, est une sorte de morion
ou salade qui ne couvre que le haut de la tête. — RICHELET : Ce mot se
dit généralement pour marquer quelque sorte de vase de terre, de faïance,
ou de verre, propre à contenir quelque liqueur, ou quelque autre chose.

FRIPESAVCES.

Ha ! ces armes, Monsieur, ne me conuiennent gueres.
Ie ne voudrois m'armer qu'auec vn corselet
Qui fut fait de la peau d'vn gras cochcn de laict,
Et pour estre coëffé selon ma fantaisie,
350   Ie voudrois pour mon pot, vn pot de maluoisie ;
I'en remplirois vn verre aussi long que mon bras,
Qui pour fendre les airs seroit mon coutelas.

LE CAPITAN.

Ie t'entends à ces mots, & veux en diligence
Adjouster quelque chose à cette intelligence.
355   Tien, voila dequoy boire au prochain Cabaret.

FRIPESAVCES.

O le cœur magnifique.

LE CAPITAN.

Et de plus, Cascaret,

FRIPESAVCES.

O qu'il est liberal, si ce quart d'escu peze.
Mais ie croy qu'à la fin de cette parantaise,
Ie doy sur nouueaux frais auecque son valet,
360   Par son commandement prendre pinte au colet ;
I'auray de la vigueur pour acheuer ma course.

LE CAPITAN.

Enten-tu ?

360. Fais, dis-je, que mon coquin de fils prenne un verre au colet.
(CYRANO DE BERGERAC, *Le Pédant joué*, IV, IV.)

CASCARET.

Ouy, Monsieur.

LE CAPITAN.

Qu'il boiue, & sur ma bourse.

FRIPESAVCES.

Nous boirons donc, Monsieur ; mais à vostre santé.

LE CAPITAN.

Beuuez premierement à ma Diuinité :
365 A la belle Lucinde, à cette jeune Aurore,
Dont vn petit Soleil dans peu se doit esclore,
S'il faut que ie l'espouse, & qu'enfin sa rigueur
Cesse de rebuter les offres de mon cœur.

    Le Capitan seul.
Sans doute Cascaret en vuidant les bouteilles,
370 Va de ce Parasite apprendre des nouuelles ;
Car ce petit fripon sçait naturellement
Tirer les vers du nez assez adroittement.
Ie sçauray si Lucinde : Ha ! ie voy cette belle,
Elle sort du logis, Phenice est auec elle.

369-370. Voir, au sujet de la rime, la note aux vers 1203-1204.

SCENE SIXIESME.

LE CAPITAN. LVCINDE. PHENICE.

LE CAPITAN.

375   Où portez vous ainsi les Graces, les Amours,
Et toute la clarté qui fait mes plus beaux iours?

LVCINDE.

Monsieur, dans ce manchon ie ne porte qu'vn liure.
O l'importun fâcheux, que le Ciel m'en deliure !

LE CAPITAN.

N'auray-je pas l'honneur d'accompagner vos pas?

LVCINDE.

380   Non, Monsieur, point du tout, ou bien ie ne sors pas.

LE CAPITAN.

De grâce permettez.

LVCINDE.

Non, i'y suis resoluë.

LE CAPITAN.

Vous le commandez donc de puissance absoluë.

LVCINDE.

Monsieur, ie vous en prie.

LE CAPITAN.

Hé, Madame, pourquoy?

LVCINDE.

Vous perdez vostre temps en l'employant pour moy,
Ie vous l'ay déja dit.

LE CAPITAN.

385   O miracle des belles,
Nous vaincrons par nos soins ces rigueurs naturelles,
Nous en viendrons à bout.

LVCINDE.

Ce ne sera iamais.

LE CAPITAN.

En voudriez vous iurer?

LVCINDE.

Ouy, ie vous le promets;
Et que vous auez beau solliciter ma mere.
390 Tous ces commandements ne sont qu'vne chimere!
Vous ne m'obtiendrez pas; on me verra deuant
Espouser de bon cœur la mort, ou le Conuent.

---

392. FURETIÈRE : *Couvent*. On disait autrefois *Convent*, comme on le
prononce encore dans les dérivés. L'Académie et Vaugelas veulent
qu'on écrive Convent, parce qu'il vient du mot latin Conventus, en
prononçant pourtant Couvent.

LE CAPITAN.

Mais que vous ay-je fait pour m'estre si contraire ?

LVCINDE.

Rien que m'importuner, & rien que me desplaire.

LE CAPITAN.

395 Cruelle, cét orgueil vn iour s'abaissera.

LVCINDE.

Adieu, ie vous ay dit tout ce qu'il en sera.

LE CAPITAN.

Vn mot, ie te veux faire vn present bien honneste.

PHENICE.

Monsieur, tous vos discours me font mal à la teste.

LE CAPITAN.

Si tu me veux seruir ie te feray du bien.

PHENICE.

400 Vous le dites assez, mais vous n'en faites rien.

LE CAPITAN.

Vne Voiture vient dont ie feray largesse.

---

396. *Indication de scène* : Lucinde sort. — Le Capitan, à Phenice, restée seule.

400. Vous estes de l'humeur de ces hommes d'espée Que l'on trouve toujours plus prompts à dégaisner Qu'à tirer un teston s'il le falloit donner. (MOLIÈRE, *L'Étourdi*, III, IV.)

401. ACAD. : *Dont* s'emploie aussi quelquefois au lieu de *par lequel*. — Je cède facilement à cette douce violence dont elle nous entraîne. (MOLIÈRE, *Don Juan*, I, II.)

PHENICE.

Vous me ferez, au moins, gronder par ma Maistresse.
Adieu.

LE CAPITAN.

Voila comment ie trauaille sans fruit.
Lucinde me dedaigne, & le reste sensuit.

FIN DV PREMIER ACTE.

---

402. ACAD. : *Au moins, du moins*. Sorte de conjonction qui sert à marquer quelque restriction dans les choses dont on parle. — LITTRÉ : *Au
moins* signifie quelquefois *sur toutes choses*.

ACTE SECOND.

SCENE PREMIERE.

LISANDRE.

Enfin, voicy l'endroit où Lucinde demeure,
Et ie la reuerray possible dans vne heure :
Ie reuerray les yeux dont ie fus enflâmé,
Et cette bouche encor par qui ie fus charmé,
Cét Oracle d'Amour, cette bouche de rose,
Qui toûjours adoucit les loix qu'elle m'impose.
Ie baiseray sa main qui dans ce qu'elle escrit,
Par des traits si charmants marque son bel esprit ;
Mais si faut-il encor relire cette lettre,
Si le temps & l'Amour me le peuuent permettre ;
Elle presse si fort mon amoureux desir,
Qu'il ne me reste pas vn moment de loisir.

LETTRE DE LVCINDE
A LISANDRE.

Venez en diligence, & parlez à Phenice,
Qui vous descouurira l'estat de nostre sort :
Nous n'auons plus d'espoir qu'en vn seul artifice,
      Où Lisandre seruira fort ;
      Mais qu'il manque ou qu'il reüssisse,
Mon amour ne craint rien, non pas mesme la mort.

Lucinde, si i'entends la voix de cet Oracle,
Nous sommes trauersez par quelque grand obstacle.

424. RICHELET : *Traverser*. Empêcher, mettre obstacle. — Mon rival
en tout cas ne peut me traverser. (MOLIÈRE, *L'Etourdi*, III, IV.)

425   Notre heur est retardé par quelque empeschement,
     Mais il faudra le vaincre ou mourir promptement.
     Rien ne diuertira mon amoureuse enuie,
     l'obtiendray cette Belle ou ie perdray la vie.
     O que ie suis à plaindre en mon sort amoureux !
430   Ie vy dessous le joug d'vn pere rigoureux
     Qui ne sçauroit respondre à mon ardeur extréme,
     Qui veut que i'estudie, & n'entend point que i'ayme.
     Lucinde d'autre part, tremble sous vne loy,
     Qui la rend pour le moins esclaue autant que moy.
435   En ses desirs secrets, elle craint vne mere,
     Qui ne luy parle point qu'auec vn front severe ;
     Qui l'obserue sans cesse, & la suit en tous lieux,
     Et qui pour la garder voudroit auoir cent yeux.
     De m'aller descouurir, cette femme chagrine
440   Ne rebuttera pas ma naissance & ma mine.
     Possible suis-ie fait à ne desplaire pas :
     Mais comme l'on en vse en de semblables cas,
     Sans doute elle voudra faire parler mon pere,
     Et Dieu sçait quels seront ses transports de colere :
445   Cet esprit rude, auare, actif pour amasser,
     De nourrir vne bru se veut long-temps passer.
     On le fera cabrer luy portant ces paroles,
     Il me fera soudain retourner aux escoles,
     Ie seray trop heureux, s'il ne me frape pas.
450   Mais quel homme indiscret accompagne mes pas,
     Et me suiuant m'escoute en posture plaisante.

---

    427. Trévoux : *Divertir*. Détourner quelqu'un, le distraire de son
dessein, de son entreprise. — Toute une légion de rivaux de sa sorte Ne
divertirait pas l'amour que je vous porte. (Corneille, *Mélite*, II, viii.)
    444. Dieu sçait quelle tempeste alors esclatera. (Molière, *L'Etourdi,*
I, ii.)

SCENE SECONDE.

PERIANTE. LISANDRE.

PERIANTE.

Vn qui ne te craint guere.

LISANDRE.

         Ha ! c'est toy, Periante,
Que fay-tu dans Paris, qui te croiroit icy ?

PERIANTE.

I'y suis depuis trois iours, & le Preuost aussi.

LISANDRE.

Qui ?

PERIANTE.

  Lucile.

LISANDRE.

      Mon Pere ! ô le malheur estrange !

PERIANTE.

D'où vient que là dessus le visage te change ?
Ie voy bien que Lisandre est party sans congé ;
Lucile n'en sçait rien.

LISANDRE.

       Non, tu l'as bien jugé,
Ie craindray qu'à mes yeux à toute heure il se montre.

PERIANTE.

460   Ne va pas au Palais, si tu crains sa rencontre.
Il plaide en cette ville.

LISANDRE.

Ha ! ie sçay ce que c'est,
Et i'y suis arriué pour vn autre interest.

PERIANTE.

Seroit-ce point pour voir cette agreable fille,
De qui tu m'as parlé ? sa mere a nom Manille ?

LISANDRE.

465   Ouy, c'est pour cela mesme.

PERIANTE.

Ha ! ie m'en doutois bien ;
Elle ne te hait pas ; mais quoy, tu ne tiens rien,
Si tu pretends au moins l'auoir en mariage.

LISANDRE.

Cher amy, que dis-tu ? ne tiens pas ce langage,
C'est blesser mon amour, & sa fidelité.

PERIANTE.

470   Quand ie te parle ainsi ie dis la verité,
Tu n'y dois plus penser.

LISANDRE.

Tréue de raillerie.

PERIANTE.

Enfin c'est au plus tard demain qu'on la marie ;
Tout le monde le sçait, les voisins me l'ont dit.

LISANDRE.

Dieux ! ie suis tout confus ! ie suis tout interdit.
Lucinde m'escrit-elle vne si belle lettre,
Où son affection me semble tout promettre,
Et doit iusqu'à la mort me conseruer sa foy,
Pour me faire venir, & se moquer de moy ?

PERIANTE.

Possible elle a voulu, comme elle est fort discrete,
S'excuser de la chose auant qu'elle fut faite,
Degager sa parole, & te dire comment
On la va marier sans son consentement.

LISANDRE.

O noire perfidie auec art desguisée !
Mon esperance ainsi seroit donc abusée ?
Comment tant de soûpirs & de pleurs confondus
En seruant sa beauté seroient des soins perdus ?
Ha ! que viens-tu de dire ! ha ! que viens-ie d'entendre !
O perfide Lucinde ! ô malheureux Lisandre !
O Cieux ! quelle iniustice & quelle trahison !

PERIANTE.

Perdant cette Beauté, ne perds pas la raison.

---

485. FURETIÈRE : *Confondre* signifie mêler deux ou plusieurs choses
ensemble.

LISANDRE.

O malheureux voyage ! ô fatale arriuée !

PERIANTE.

Vne femme perduë, vne autre est retrouuée.

LISANDRE.

O ! d'vn si lasche tour a-t-on iamais parlé ?

PERIANTE.

Veux-tu pour t'en vanger deuenir tout pelé,
495   Laisse en paix tes cheveux ; cette belle moustache
N'a point pour ce sujet merité qu'on l'arrache.

LISANDRE.

Lucinde se marie ? ha ! c'est trop discourir,
C'est trop, c'est trop parler, il est temps de mourir.

PERIANTE.

Tout beau, tout beau, Lisandre.

LISANDRE.

                    Il faut que ie perisse,
500   Il faut que tout mon sang marque son iniustice ;
De ce fer à ses yeux ie veux m'assassiner.

PERIANTE.

Mais plutost sans la voir tu dois t'en retourner ;
Tu sçais que tous les iours on peut prendre le coche.

---

495. FURETIÈRE : On appellait aussi autrefois moustache les cheveux
qu'on laissait croître et pendre à côté des joues. Les hommes portaient
autrefois une longue moustache du côté gauche.

LISANDRE.

O trop lâche inconstance ! ô trop honteux reproche !
505 Mais encore de grace en flattant ma douleur,
Aprens-moy qui profite ainsi de mon malheur ?
Est-ce vn homme de cœur, d'esprit & de naissance ?
Du quartier qu'il habite as-tu la connoissance ?

PERIANTE.

C'est un homme venu des païs estrangers,
510 Qui dit qu'il a par tout affronté les dangers,
Qu'il a suiuy la guerre en toutes les contrées ;
En vn mot, vn mangeur de charettes ferrées.

LISANDRE.

Son nom ?

PERIANTE.

C'est Matamore.

LISANDRE.

Et son logis encor ?

PERIANTE.

Si i'ay bonne memoire il loge au Lion d'or,

512. FURETIÈRE : On appelle proverbialement *avaleur de charettes fer-*
rées un Fanfaron, un Capitan. — HUGUET, *Langage figuré* : Quelques bra-
vaches soldats qui, avant le Combat et loin des ennemis, tranchent,
comme on dit, les montagnes et mangent les charrettes ferrées (DU
VAIR). Ces braves capitaines, en temps de paix, veulent être estimés des
Achilles, des Hercules, et assis auprès de leurs dames, font à tout propos
des rodomontades qu'on diroit à les ouïr parler qu'ils avaleroient des
charrettes ferrées (*Le Courtisan à la mode selon l'usage de la cour de ce*
temps, 1625). Un Fier à bras, un Rodomont, un vaillant, un fendant,
mangeur de charrettes ferrées (ETIENNE PASQUIER).

515   Car ce Balon enflé veut par gallanterie
        Vn Lion pour enseigne en son Hostellerie.

LISANDRE.

Quand luy-mesme seroit ce Roy des animaux,
Il se peut assurer d'auoir part à mes maux :
Sans courir quelque risque il n'aura pas la joye
520   D'enleuer à mes yeux vne si belle proye.
Vn autre auroit ainsi le prix de mon amour ?
Il en perdra la vie, ou ie perdray le iour.

PERIANTE.

On dit qu'il bat le fer dans les meilleures sales.

LISANDRE.

N'importe, nous verrons auec armes esgalles.

PERIANTE.

525   On tient qu'il est adroit.

LISANDRE.

                    Mon bras l'esprouuera.

PERIANTE.

Mais il peut s'excuser.

LISANDRE.

                    Mais il desgainera.

---

515. HUGUET, *Glossaire* : *Galanterie*. Chose ou action dans laquelle il
y a de l'élégance, de la bonne grâce. — Cf., dans des sens différents,
vers 1003 et 1339.
523. Et j'ai battu le fer en mainte et mainte salle. (MOLIÈRE, *L'Etourdi*,
IV, II.)

PERIANTE.

Il faudra l'auertir auant qu'on le menace
Qu'il court sur ton marché.

LISANDRE.

     C'est assez qu'il le fasse.
Sans esclaircissement & sans plus de longueur,
530 Ie m'en vay le chercher pour luy manger le cœur.

PERIANTE.

Le Facteur de Manille en nostre Hostellerie,
Auecque son Valet a fait grande frairie :
Ils y boiuuent encor.

LISANDRE.

    Mais quel est ce Facteur ?
Manille n'en a point.

PERIANTE.

     Facteur, ou seruiteur,
535 C'est ce ventre affamé dont tu m'as dit merueilles,
Qui s'alterre tousiours en vuidant les bouteilles,
Qui pourroit aualer vn bœuf en vn repas,
Et qui pour tout cela ne se souleroit pas.

---

531. TRÉVOUX : *Facteur*. Ce mot signifie celui qui est chargé d'une
procuration qui lui donne pouvoir d'agir au nom d'un autre. — Cf.
Factotum. ACAD. : Celuy qui se mesle, qui s'ingère de tout dans une
maison. OUDIN, *Curiosités françoises* : Un homme qui manie toutes les
affaires d'une maison.
538. HUGUET, *Glossaire* : Souler. Rassasier avec excès, gorger de vin,
de viandes. — Cf. vers 1428, 1738.

LISANDRE.

Ie connois bien qui c'est ; quoy, ce gosier auide
540 Hante ce Capitan ? le traistre ! le perfide !

PERIANTE.

En passant aupres d'eux i'entendois leurs discours,
Ils parloient assez haut.

LISANDRE.

De quoy ?

PERIANTE.

                              De tes amours :
Et par leur entretien i'ay sceu ton arriuée,
Qui seroit, disoient-ils, vne vaine coruée.

LISANDRE.

545 Ha ! si ie puis iamais attrapper ce maraut,
Ie l'en remercieray, mais i'entend comme il faut.

PERIANTE.

Adieu, ton seruiteur.

LISANDRE.

                              Hé ! de grace, demeure.

PERIANTE.

Ie cours au Messager qui s'en va dans vne heure.

544. FURETIÈRE : *Corvée* se dit aussi par extension de toute peine, de
toute fatigue, ou de tout travail de corps ou d'esprit qu'on se donne.
548. RICHELET : *Messager*. Celui qui porte des lettres et autres choses
et va pour la commodité du public d'un certain lieu à un autre.

LISANDRE.

Amy, pour adoucir de si cruels tourmens,
Veüille encor me donner au moins quelques momens.
Demeure encore vn peu, voicy ce Parasite
Que ie m'en vais traitter en homme de merite.

SCENE TROISIESME.

Fripesavces. Lisandre. Periante.

Fripesavces.

Ha ! vous voila, Monsieur, ie vous allois chercher
Pour vous dire trois mots.

Lisandre.

                        Oses-tu m'aprocher ?
555   Peux-tu bien sans rougir montrer ce front infame,
       Toy qui sur mon malheur es si digne de blâme ?
       Traistre que mille fois i'ay sauué de la faim,
       Tu m'as bien-tost vendu pour vn morceau de pain :
       Ce fendeur de nazeaux, ce grand homme de guerre,
560   Qui sans les grands chemins, n'auroit ny prez, ny terre,
       A depuis mon absence engraissé ton museau ;
       Vous auez bec à bec mangé plus d'vn manteau :
       Il s'est seruy de toy pour deceuoir Manille,
       Et la porter si tost à luy donner sa fille :
565   Parasite sans cœur, sans amitié, sans foy,
       Vn valet de bourreau vaut mieux cent fois que toy :
       Il n'est pas si meschant, si perfide, & si traistre,
       Il sert à la Iustice, il assiste son Maistre,
       Mais toy plus inhumain, Ministre de malheur,
570   Tu trompes ta Maistresse, & tu sers vn voleur.
       Ie te veux imprimer les marques de ma haine
       Auec cent coups de pied.

---

556. Furetière : *Blâme*. Repréhension faite ou reçue pour quelque
action honteuse ou criminelle.

562. Prendre pour se couvrir la frise d'un manteau Dont le dessus
servit à nous doubler la panse. (Saint-Amant, *Les Goinfres*.)

567 & *suiv.* : Oui, traître. C'est ainsi que tu me rends service ?
(Molière, *L'Etourdi*, I, viii.)

FRIPESAVCES.

N'en prenez pas la peine.

PERIANTE.

Ha ! ne t'emporte point ainsi mal à propos.

LISANDRE.

Nul ne m'empeschera de luy casser les os,
575   De luy rompre les bras iusques à l'omoplatte,
Et les jambes encor, il sera cul de jatte :
Ie veux pocher ses yeux, ie veux l'essoriller,
Le ietter à vau l'eau, le boüillir, le griller.

PERIANTE.

Et puis apres cela l'euuoyer aux galeres.

FRIPESAVCES.

580   Monsieur, sur ce papier deschargez vos coleres,
Elles s'apaiseront, vous ne me ferez rien :
Ie voudrois que ma faim s'apaisast aussi bien.

PERIANTE.

Sans perdre plus de temps à luy chanter iniures,
Regarde ce papier, & prend bien tes mesures.

LISANDRE.

585   En suite, ie prendray le temps de l'espouster.

---

574. Quoy ? châtier mes gens n'est pas en ma puissance ? (MOLIÈRE,
L'Etourdi, III, iv.)

585. TRÉVOUX : *Epousseter* signifie aussi battre quelqu'un. Cette expression figurée n'est que populaire. — Ouy da, très volontiers, je l'es-
pousteray bien. (MOLIÈRE, *L'Etourdi*, IV, v.)

FRIPESAVCES.

Vous y pourriez faillir, gardez de deschanter.

LISANDRE.

O lettre de Lucinde ! ô diuins caracteres !
Si remplis d'esperance & d'amoureux mysteres !
La consolation que ie reçoy de vous
590   Merite que cent fois ie vous baise à genoux.
Amy, iusqu'au reuoir, ce que ie viens d'apprendre
M'oblige à te quitter.

PERIANTE.

                Adieu donc, cher Lisandre.
Mais contre ce valet ne t'emporte donc pas.

LISANDRE.

I'aymerois mieux cent fois me donner le trespas,
595   Puis qu'il m'a fait sçauoir cette bonne nouuelle.

FRIPESAVCES.

Sur le Pont d'Avignon, i'ay ouy chanter la belle.

586. FURETIÈRE : *Déchanter*. Se dédire, changer d'avis, d'opinion. —
Tu vois qu'à chaque instant il te fait deschanter. (MOLIÈRE, *L'Etourdi*,
III, 1.)

SCENE QVATRIESME.

Lisandre. Fripesavces.

Lisandre.

Pardon, mon cher Amy, de grace embrasse moy.

Fripesavces.

I'ay trop peu d'amitié, de memoire, & de foy.

Lisandre.

Excuse des ardeurs qui n'ont point de pareilles.

Fripesavces.

Laissez-là nostre nez, nos yeux & nos oreilles.

Lisandre.

Approche, approche-toy.

Fripesavces.

                    Les valets des filous
Seroient trop honorez de s'approcher de vous.

Lisandre.

Il faut par des effets suprimer nos paroles ;
Tien, tien, pour t'apaiser, voila quatre pistoles.

Fripesavces.

Quoy, pour tant de gros mots ? parlons de sens rassis ;

---

599. Il est vray, je t'ay dit de trop grosses injures. (Molière, *L'Etourdi*, I, viii.)
603 & 607. Mais que ces deux louis guérissent tes blessures. (Molière, *L'Etourdi*, I, viii.)

A quatre francs la piece il en faudroit bien six.
Il faut mieux compenser ces iniures atroces.

LISANDRE.

Nous les compenserons quand nous ferons les nopces.
Dy moy donc le secret dont on m'escrit icy.

FRIPESAVCES.

610 Ce Fort, quoy qu'assiegé, ne se rend pas ainsy.
Il faudra que i'en voye auecque mes besicles
La composition articles par articles.
Par vn certain secret qui n'a point de pareil,
Nous allons eluder Manille & son conseil,
615 Chasser le Capitan comme vn peteur d'Eglise,
Et vous loger chez nous sans aucune remise ;
Vous tiendrez auiourd'huy Lucinde entre vos bras,
Sa mere en le voyant ne s'en fàchera pas,
Et mesme en exprimant vostre ardeur mutuelle,
620 Vous pourrez librement vous baiser deuant elle.

LISANDRE.

O que tu me rauis par ces discours charmans !
Dis-tu la verité ?

FRIPESAVCES.

Creuez-moy si je ments :
Blessez-moy de cent coups, que le bourreau m'acheue,

614. HUGUET, *Glossaire* : *Conseil* se prend quelquefois pour resolution. Ne m'en parlez plus, le conseil en est pris. Je ne sais quel conseil prendre.
615. L'un avecque prudence au Ciel s'impatronise Et l'autre en fut chassé comme un péteur d'Eglise. (RÉGNIER, *Satire* XIV.)
616. ...De pouvoir hautement vous loger avec elle. (MOLIÈRE, *L'Etourdi*, IV, I.)

Mais si ie ne ments point il faut que ie me creue :
5   Il faut que le cousteau, s'escrimant en amy,
Fasse en la basse cour la saint Barthelemy :
Que tout le poulailler se sente du carnage ;
Que l'on defonce vn muid, que dans le vin ie nage,
Que l'on n'espargne rien pour me rassasier,
10 Que ie mange mon saoul, i'entend iusqu'au gosier,
Que je ne fasse rien que sauts & que gambades,
Qu'aller au cabaret, qu'aller aux promenades,
Qu'on ne desserue point tant que ie mangeray,
Ou'on ne m'esueille point tant que ie dormiray.

LISANDRE.

35 Tout cela t'est promis, dis-moy donc le mistere.

FRIPESAVCES.

Ie veux qu'il soit escrit, & pardeuant Notaire.
De plus, que si par fois on m'enuoye au marché,
Pour le compte, iamais ie ne sois recherché,
Quand bien ie ferrerois la mule.

LISANDRE.

Ouy dea, n'importe.

624. FURETIÈRE : *Crever* signifie aussi saouler, manger avec excès. Cette dernière expression est basse.

639. FURETIÈRE : On dit proverbialement *ferrer la mule* quand les valets ou commissionnaires trompent sur le prix des marchandises et les comptent plus qu'ils ne les avaient achetées. Ce proverbe vient d'une action que fit autrefois le Muletier de Vespasien, au rapport de Suétone, qui sous prétexte qu'une de ses mules était déferrée arrêta longtemps la litière de cet Empereur et par là fit avoir audience à celui à qui il l'avait promise moyennant quelque argent. — TRISTAN, *Le Page disgracié*, I, VII : Ce mesme Page mal conditionné qui m'avoit enseigné à jouer, m'avoit aussi appris à ferrer la mule : et je ne faisois guère de marché d'importance sans y gagner quelque pistole.

FRIPESAVCES.

640   l'entend que cela soit couché de bonne sorte.
       Ha! tout le sang me bout, ie sors presque des gons ;
       Voicy ce Capitan, ce mangeur de Dragons,
       Et qui si l'on en croit son discours ridicule,
       Aualeroit vn Diable ainsi qu'vne Pilule.

---

640. FURETIÈRE : *Coucher* signifie aussi comprendre dans un acte, dans
un contrat.
    641-644. On peut penser que ces quatre derniers vers doivent être mis
plutôt dans la bouche de Lisandre.

SCENE CINQVIESME.

LE CAPITAN. CASCARET. LISANDRE. FRIPESAVCES.

LE CAPITAN.

645   Il t'a dit tout cela?

CASCARET.

Ouy, tout de point en point.

LE CAPITAN.

Dis m'en la verité?

CASCARET.

Monsieur, ie ne ments point.
Entre les deux treteaux, dés la quatriesme pinte,
Il m'a tout declaré.

LE CAPITAN.

Mais parle moy sans feinte.

CASCARET.

Ie ne feins point du tout.

LE CAPITAN.

C'est vn conte inuenté.

---

647. RICHELET : *Trêteau.* C'est une manière de pied de bois qui sou-
tient ordinairement les tables des cabarets où l'on vend en assiette, à
pot et à pinte, d'où vient cette façon de parler : Etre entre deux trê-
teaux, c'est à dire, être toujours au cabaret et ne faire qu'ivrogner.

CASCARET.

650   Vn conte ? nullement.

LE CAPITAN.

Dis, dis la verité.
T'a-t-il absolument parlé de cette sorte?

CASCARET.

Ouy, la peste m'estouffe, & le Diable m'emporte.

LE CAPITAN.

C'est assez.

FRIPESAVCES.

Escoutons, il parle à son valet.

LE CAPITAN.

Ha ! ie l'estrangleray de mesme qu'vn poulet,
655   Ce Guespin d'Orleans, ceste guespe importune,
Qui pense trauerser nostre bonne fortune.
Ce drosle voudroit faire vn hymen clandestin :
Ie luy veux d'vn regard foudroyer l'intestin,
Luy rompre le brechet, auec plus d'vne coste,
660   Et s'il respire encore,

LISANDRE.

Il compte sans son hoste.

653. *Indication de scène* : Lisandre et Fripesaulces entrent en scène,
mais ne seront aperçus par Cascaret qu'au vers 671.
655. FURETIÈRE : *Guêpin*. Mot burlesque qu'on emploie quand on
veut marquer qu'une personne est fine, adroite, rusée. On appelle ceux
d'Orléans les Guêpins, à cause de leur langue médisante.

Nous verrons.

LE CAPITAN.

      Pour montrer que mon cœur est sans fiel,
Ie le feray sauter iusqu'au cinquiesme Ciel :
Afin qu'aux pieds de Mars, il luy demande grace
D'auoir osé choquer vn Prince de sa race.

LISANDRE.

C'est trop, c'est trop souffrir.

FRIPESAVCES.

      Vous l'auez entendu.

CASCARET.

Il faudroit bien le prendre, ou tout seroit perdu.
Ces diables d'Escoliers portent tousiours la fronde
Dont ils cassent la teste à quiconque les gronde :
D'oreilles & de nez, ils font vn grand degast.

LE CAPITAN.

Il n'est point de Dauid pour vn tel Goliât.

CASCARET.

Monsieur, si c'estoit luy qu'ameine Fripesauce ?

LE CAPITAN.

Il aprendroit bien-tost à quel point ie me chausse.

---

662. Je te jetteray par dessus les Alpes qui partissent l'Allemagne.
(LARIVEY, *Le Fidèle*, III, IV.)
672-674. TRÉVOUX : *Point*, chez les Cordonniers, se dit des divisions
qui sont marquées sur le compas avec lequel ils prennent la mesure pour
faire des souliers. Cet homme chausse à tant de points.

LISANDRE.

Nous le voyons fort bien, ce n'est qu'à douze points.

LE CAPITAN.

Si l'on ne m'a trompé, c'est à quatorze au moins.

LISANDRE.

675   Montrez-nous les talons, viste, que l'on destale.

LE CAPITAN.

Le tout est de bon cuir, de la botte Royale.

LISANDRE.

Ie dis que sans tarder, vous deslogiez d'ici.
Passez, & promptement.

LE CAPITAN.

        l'allois passer aussi.

LISANDRE.

Sus, il se faut tirer quelque sang l'vn à l'autre.

LE CAPITAN.

680   Mon sang me fait besoin, vous connoissez le vostre,
Si vous en auez trop, ou s'il est alteré,
Que par quelque Barbier il vous en soit tiré.

LISANDRE.

Ie dis, tirons ce fer pour l'amour de Lucinde.

---

678. Aussy bien me voulois-je coucher. (CYRANO DE BERGERAC, *Le Pédant joué*, IV, III.)

682. Il ne se donne pas dans sa maison un coup de rasoir, de lancette ou de piston, qui ne soit de la main de votre serviteur. (BEAUMARCHAIS, *Le Barbier de Séville*, I, IV.)

LE CAPITAN.

Elle sçaura fort bien que c'est vne Zolinde.

LISANDRE.

85 Tirez-la promptement, & nous la faites voir.

LE CAPITAN.

Elle se roüilleroit, car il s'en va pleuuoir.

LISANDRE.

Battons-nous seul à seul sans faire de vacarmes.

LE CAPITAN.

Lors qu'on est appellé, l'on a le choix des armes.
C'est à moy d'y penser.

LISANDRE.

                          Ie ne dis pas que non.
90 Choisis donc d'vn ganif iusques à vn canon.

LE CAPITAN.

Afin qu'auec honneur l'vn & l'autre succombe,
Il faudra quelque iour nous battre à coups de bombe.

LISANDRE.

O le plaisant combat! qu'il est bien dessiné!

---

684. RICHELET : *Olinde*. Terme de fourbisseur. C'est une sorte de
lame d'épée, qui est des plus fines et des meilleures. — TRÉVOUX : On
les a ainsi appelées de la ville d'Olinde, dans le Brésil d'où ces sortes de
lames sont venues.

688. FURETIÈRE : Appeler signifie aussi défier, provoquer en duel.

693. *Dessiné*, dérivé de *dessein* : TRISTAN, *La Mort de Sénèque*, Argu-
ment du V° acte : Néron « craint que les Autheurs de cet attentat dessi-
gné ne soient pas encore tous descouverts. »

LE CAPITAN.

C'est ainsi qu'on espreuue vn cœur determiné.

LISANDRE.

695   Poltron, examiné si ie t'entens encore.

LE CAPITAN.

A qui donc parle-t-il? mon nom c'est Matamore.

FRIPESAVCES.

O le braue guerrier.

CASCARET.

Laisse-le tel qu'il est.

FRIPESAVCES.

C'est vn Maistre de bale apporté de forest.
En vn beau iour de l'An, ce Maistre à la douzaine
700   Se pourroit bien donner au Diable en bonne estrenne.
Que son cœur est petit quand on le vient sonder!

CASCARET.

Ne parle point à moy, tu me feras gronder.

---

695. *Indication de scène*: Après ce vers, d'ailleurs difficilement intelli-
gible, Lisandre quitte la scène. — Le vers 695 est textuellement : *Poltron, examiné si je t'entens encore.* Faute d'impression? sous l'influence
peut-être du mot : *déterminé* à la fin du vers précédent. — Cf. Que me
vient donc conter ce coquin assuré? (MOLIÈRE, *Dépit amoureux*, III, IX),
    698. FURETIÈRE : On appelle *marchandises de balle* celles qui viennent
de loin dans des balles, qui sont d'ordinaire fabriquées avec peu de soin
par de méchants ouvriers, ou de méchante manière. On le dit figurément de toutes choses qu'on méprise ou qui ne valent rien. — OUDIN,
Curiosités françaises : Notre vulgaire l'applique à toutes sortes de choses.
laquais de bale, demoiselle de bale, &c.
    699. FURETIÈRE : On dit proverbialement *à la douzaine* en parlant d'une
chose qui n'est pas d'un grand mérite, d'un grand prix.

Le Capitan.

Suy, suy ton bienfaicteur, gourmant insatiable,
Tu n'auras plus le bien de manger à ma table.

Fripesavces.

05   Ie n'y mangeray plus ? ha ! voila bien dequoy.
Comment me traittes-tu quand ie mange chez toy ?
De ces gardes-foyers de la rotisserie ;
De quelque aloyau noir qui pût comme voyrie ;
D'vn lapin qui sans teste a bien le goust d'vn chat ;
10   D'vne oliue parfois qui nage dans vn plat,
De raues, de fenoüil, & de fanfaronades
Qui rendent pour huit iours les oreilles malades.

Cascaret.

Monsieur, laissez le dire.

Fripesavces.

Il se fera tenir.

Le Capitan.

Hà ! si ie vais à toy.

Fripesavces.

Tu n'as rien qu'à venir :
715   Mais arreste vn moment, auec de belles gaules
Nous allons à plaisir nettoyer tes espaules.

---

706. Acad. : *Traiter* signifie aussi Régaler par la bonne chère, donner à manger.
707. *Gardes-foyers de la rotisserie.* — Cf. (pour équivalence) Oudin,
Curiosités : Un Jacques. Une pièce de rosty qui a traîné longtemps à la
broche, qui est dure et vieille cuite.

En compere, en amy, tu seras espousté,
Et iamais ton bidet ne se vit mieux frotté,
Bien que de le panser la main d'vn Capitaine
720   Par diuertissement prenne souuent la peine.

LE CAPITAN.

Ie t'auray, ie t'auray.

FRIPESAVCES.

Ne fais pas tant de bruit.

LE CAPITAN.

Pense à qui tu te prends.

FRIPESAVCES.

Lisandre, ô ! comme il fuit.
Au seul nom de Lisandre il destale bien viste ;
Iamais lievre lancé n'esloigna mieux son giste.
725   Cascaret, au logis as-tu du linge prest ?
On prend la pleuresie en sueur comme il est.
Ils feignent bien tous deux de ne me pas entendre ;
Mais quoy, doublons le pas pour rejoindre Lisandre

FIN DV SECOND ACTE.

---

717. FURETIÈRE : *Compère* se dit dans le discours ordinaire de ceux
qui sont bons amis et familiers ensemble. Cf. vers 1377. — *Espouster*,
cf. vers 585.

722. *Indication de scène* : Fripesaulces feint d'appeler Lisandre à son
secours, ce qui met en fuite le Capitan suivi par Cascaret.

724. FURETIÈRE : *Lancer*. En termes de chasse, on dit lancer la bête,
pour dire la faire partir, la donner aux chiens. — *Eloigner*. Les Poètes
disent quelquefois éloigner quelque chose pour s'éloigner de quelque
chose. Cette façon de parler a vieilli.

ACTE TROISIESME.

SCENE PREMIERE.

FRIPESAVCES.

Tout va bien, tout va bien, nous auons achepté
30 Vn bel habit d'esclaue & défait vn pasté
D'vn lievre aussi rablú, d'aussi bonne stature
Qui iamais iusqu'icy m'ait pû seruir de cure :
Car ce n'est qu'vne cure à ce chaut estomac
Que la Nature a fait large comme vn bisac :
35 Douze pintes de vin en ont laué la toille,
Mais d'vn vin penetrant & les os & la moüelle,
D'vn vin qui rend d'abord les esprits enchantez,
Et que l'on peut vanter pour quatre qualitez :
L'agreable couleur, le vert, le vin, la seue,
40 Enfin c'est du meilleur qui descende à la Greue.
Nostre Turc qui possible en a beu demistié
En est plus beau d'vn tiers, & plus gay de moitié ;
Il n'est plus Alcoran ny Mahomet qui tienne,
Il apprendra de nous à boire à là Chrestienne.
745 Nous en prattiquerons aussi bien le mestier
Que la Mothe Massas, & que François Paumier.

741. RICHELET : *Demi stier, demi setier*. Mesure qui contient la moitié de la chopine. — *Nostre Turc*, est Lisandre revêtu de son *bel habit
d'esclave*.
746. *La Mothe Massas*. La Motte qui, parmi les tasses... (SAINT-AMANT,
La Vigne.) — Cf. *Ode à la louange de tous les cabarets de Paris*, dédiée à
M. de la Motte Massas. Par Berthauts, Paris, 1628. — *François Paumier*,
ce grand ivrongne... (SAINT-AMANT, *La Chambre du Débauché*.)

Mais voicy le galand, il le faut bien instruire.
C'est le temps à peu prés qu'il faudra le produire.
Auez-vous retenu ce que ie vous ay dit?

747. *Galand*. Ce mot s'emploie dans des sens très divers, souvent peu déterminés, excluant même toute idée de galanterie proprement dite. Chez La Fontaine, *Conte d'un paysan qui avoit offensé son seigneur*, *Galand*, plusieurs fois employé, alterne indistinctement avec *paysan*, *pied plat*, *vassal*, *mal-heureux*, et *pauvre diable*. — Cf. *Galand*, vers 1101, 1254, 1585, et *Galanterie*, vers 515, 1003, 1339.

749. *Indication de scène* : Fripesauces s'adresse à Lisandre qui entre en scène.

749. C'est assez, je sais tout ; tu me l'as dit deux fois. — Oui, oui, mais quand j'aurai passé jusques à trois, Peut-être encor qu'avec toute sa suffisance, Votre esprit manquera dans quelque circonstance. (Molière, *L'Etourdi*, IV, 1.)

SCENE SECONDE.

Lisandre. Fripesavces.

Lisandre.

750 Cher amy, ie ne sçay, ie suis tout interdit,
Le cœur me bat au sein, ie tremble, ie frissonne.

Fripesavces.

Et qui vous fait trembler ? vous ne voyez personne.

Lisandre.

Tu ne sçaurois penser l'estat où ie seray
Quand ie verray ma sœur, quand ie l'embrasseray.
755 Ie me sens tout esmeu, i'en ay desia la fiévre,
Et mon ame s'apreste à passer sur ma levre.

Fripesavces.

Ma foy, s'il est ainsi, vous perdrez la raison ;
A l'heure qu'il faudra iazer comme vn oyson,
Vous deuiendrez muet, & peut-estre Manille
760 Prendra quelque soupçon que vous aymez sa fille ;
Que de son fils absent vous empruntez le nom,
Et venez comme vn masque apporter vn monmon.
Rengainez vostre amour, cachez sa violence,
Et vous souuenez bien des choses d'importance.
765 Il faut de la memoire à qui sçait bien mentir.

762. Richelet : Le mot de momon viendra d'où il plaira à Messieurs
les Etimologistes, mais il signifie aujourd'hui parmi nous l'argent que
les masques jouent aux dés et sans revanche durant le Carnaval, lorsqu'ils vont le soir chez les particuliers de leur connaissance. — Trufal-
din, ouvrez leur pour jouer un momon. (Moliére, L'Etourdi, III,
viii.) — Cf. vers 874.

N'oubliez pas les noms de Iaffe ny de Thyr.
Vous citerez encor d'autres lieux de Syrie
Pour vous conduire enfin iusqu'en Alexandrie,
Où vous auez trouué ce Marchand Marseillois
770   Qui vous a reconnu pour Chrestien, pour François,
Pour natif de sa Ville, & d'honneste famille,
Et vous a rachepté.

LISANDRE.

Mais s'il faut que Manille
Me demande le nom de ce Marchand humain.

FRIPESAVCES.

Et bien ! vous respondrez qu'il s'appelle Romain.

LISANDRE.

775   De taille ?

FRIPESAVCES.

Mediocre, à qui le poil grisonne,
Et pour vn trafiquant assez bonne personne.

LISANDRE.

Son logis ?

FRIPESAVCES.

Vers le port.

LISANDRE.

Sa femme & ses enfans ?

---

766. Mais le nom de la ville où j'aurai pu les voir. (MOLIÈRE,
L'Etourdi, IV, 1.)

FRIPESAVCES.

Vous direz qu'il est veuf depuis quatre ou cinq ans.
Ne sçauriez vous tout seul fonder cette fabrique ?

LISANDRE.

80   Ie n'ay pas comme toy cette belle pratique :
Ie ne sçay point mentir.

FRIPESAVCES.

           Allez, vous l'apprendrés.
I'entre dans la maison, suiuez-moy de bien prés.

LISANDRE.

Ie vais estudier mon discours & ma mine.

FRIPESAVCES, *frappant à la porte de Manille.*

Allegresse, allegresse, en cuisine, en cuisine.

LISANDRE.

785   O Dieux ! qu'à cét abord mes sens seront charmez !
Ie croy qu'en nous baisant nous tomberons pâmez,
Et dans ces doux transports, i'ay bien sujet de craindre
Que ma Maistresse & moy n'oublions l'art de feindre ;
Il faut auec adresse en prenant vn faux iour,
790   Cacher bien ces baisers de salut & d'amour.

---

780. RICHELET : *Pratique.* Intrigue, cabale, adresse, menée.
785-790. Je veux bien néanmoins, pour te plaire une fois, Faire force à
l'amour qui m'impose des lois. (MOLIÈRE, *L'Étourdi*, IV, IV.)

SCENE TROISIESME.

Manille. Lisandre. Fripesavces.
Lvcinde. Phenice.

Manille.

Le Ciel par sa bonté veut donc que ie reuoye
Ce fils que i'ay creu mort; ô Dieux, que i'ay de ioye !

Lisandre.

Ha ! ma mere !

Manille.

Ha ! mon fils ! que ton retour m'est doux !
Ie t'ay pleuré cent fois.

Lisandre.

Ie ne pensois qu'à vous.

Manille.

795   Est-ce donc toy, mon fils ? est-ce toy, cher Sillare ?
Qu'on enleua si ieune en vn païs barbare ?

Lisandre.

Madame, vous voyez ce ioüet des malheurs,
Qui fut dessus la mer le butin des voleurs,
Qui n'ayant que deux ans, se veid chargé de chesnes ;
800   Que son pere nourrit auecque tant de peines,
Trois ans dedans Thunis, & quatre dans Alger,

---

792. ... Un fils privé du jour Dont cette nuit en songe il a vu le
retour. (Moliére, L'Etourdi, IV, i.)

Car de Ville & de Maistre il nous falut changer.
Puis nous fusmes à Iaffe encore cinq années ;
Puis, comme l'ont voulu nos tristes destinées,
Esclaues malheureux de barbares Marchands,
Nous auons consumé prés de cinq ou six ans
Dans le terroir d'Egypte, & dans Alexandrie,
Y regrettant tousiours nostre chere Patrie,
Parmy tous les trauaux qu'on se peut figurer,
Et rien que le trespas n'a pû nous separer.

305

310

MANILLE.

Alcidor est donc mort ? ô nouuelle funeste !
Mais de quel accident ?

LISANDRE.

Il est mort de la peste,
Qui regnoit au grand Caire, & mettoit tout à bas ;
Le bon homme a rendu l'esprit entre mes bras,
Apres auoir au Ciel recommandé son ame,
Et parlé mille fois de Manille sa femme
Qu'il croyoit à Marseille auec tous ses parents.

815

MANILLE.

O funeste recit ! que mes ennuis sont grands !
I'en ay le cœur serré, i'en perdrois la parole,
N'estoit que ton retour me charme & me console.
Que n'ay-je esté presente à la fin de ses iours !
Tu me feras au long tout ce triste discours.
Mais embrasse ta sœur.

820

---

818. FURETIÈRE : *Ennui*. Chagrin, souci, déplaisir. De mortels
ennuis. — Cf. vers 1037 : dans un si grand ennuy.

LISANDRE.

Ma sœur qui m'est si chere !
O Lucinde, ma sœur !

LVCINDE.

O Sillare, mon frere !

LISANDRE.

825   Est-ce vous que ie tiens ?

LVCINDE.

Est-ce vous que ie voy ?

LISANDRE.

Est-ce vous, chere sœur ?

LVCINDE.

Oüy, cher frere, c'est moy.

PHENICE.

Ha ! Madame, quel heur ! quelle resioüissance !

FRIPESAVCES.

Sans doute auec le temps ils feront connoissance.

MANILLE.

Nourrice, en le voyant l'aurois-tu bien connu ?

PHENICE.

830   Le cœur m'a dit, c'est luy, si tost qu'il est venu.
Fripesauce, a-t-il pas tout le haut de sa mere ?

FRIPESAVCES.

Mais ie croy que du bas il ressemble à son pere.

MANILLE.

O Dieux ! qu'ils sont contents de pouuoir s'embrasser !

LVCINDE.

Ce m'est vn grand plaisir.

LISANDRE.

Ie ne m'en puis lasser.

FRIPESAVCES.

Parlant à Phenice.

835   Il s'en pourroit lasser toutefois plutost qu'elle.

PHENICE.

Le sang a bien rendu l'amitié mutuelle.

MANILLE.

A peine ie me sens, la ioye & la douleur,
Au retour de mon fils ont partagé mon cœur.
Ie sens bien dans mon sang vn trouble qui me montre
840   Que c'est assurément mon fils que ie rencontre ;
Mais i'ay creu que la chose iroit tout autrement,
Ie trouue vn sort bizarre en cét euenement.
L'auis que depuis peu i'ay receu de Prouence,
De revoir Alcidor me donnoit esperance.
845   Le Dimanche passé ie le lisois encor,
Et ie reuoy Sillare & non pas Alcidor.

833-834. C'est qu'ici votre amour étrangement s'oublie. (MOLIÈRE,
L'Etourdi, IV, IV.)

Contre ce qu'on m'escrit, contre ce que i'espere,
l'ay retrouué le fils, & i'ay perdu le pere.

FRIPESAVCES.

Ceux qui vous ont escrit, par mesgarde ont manqué,
850   On a mis l'vn pour l'autre, on s'est equiuoqué.

MANILLE.

Il faut que cela soit, mais que ces auantures
Referment en mon cœur, & r'ouurent de blessures !
Apres auoir pleuré l'enfant que i'ay nourry,
Ie me voy donc reduite à pleurer mon mary.
855   Que n'as-tu le bonheur de ramener ton pere ?
Mais tu nous rends au moins vne chose bien chere.
Entrons pour nous asseoir, & parler à loisir.

FRIPESAVCES.

Monsieur, pour le souper.

LISANDRE, *luy donnant sa bourse.*

Fais selon ton desir.
Tu pourras employer trois ou quatre pistoles.

FRIPESAVCES.

860   Acheuons de bien faire en debittant nos roolles :
Soyez bien circonspect pour venir à vos fins,

---

850. FURETIÈRE : *Equivoquer* avec le pronom personnel, signifie alors
se tromper, se méprendre, prendre une chose pour une autre. De bons
Ecrivains se servent de ce mot.
858. *Indication de scène* : Fripesauces retient Lisandre qui allait suivre
Manille et Lucinde.

Prenez garde à Manille ; elle a les yeux bien fins.
Auec sa mine douce, elle est matoise en diable.

LISANDRE.

Va, i'auray soin de tout. O malheur effroyable !
Ce fantosme fascheux que i'apperçois là bas,
M'a veu dans le visage, & vient au petit pas ;
C'est mon pere, c'est luy qui plaide en cette Ville.
Que pourray-je inuenter qui ne soit inutile ?

---

863. OUDIN : *Matois*, meschant, rusé. — Je suis sot de penser estre
plus fin que ce maistre matois. (SOREL, *Francion*, livre IX.)

864. *Indication de scène* : Lisandre reste seul.

865. FURETIÈRE : *Fantôme*. Spectre, vision, apparition, qui trouble et
épouvante.

SCENE QVATRIESME.

LVCILE. LISANDRE.

LVCILE.

Ouy, ouy, voila mon fils, voila mon desbauché.
870   Lors qu'il m'a veu paroistre, il s'est soudain caché.
Dis moy ? quelle gageure, ou quelle humeur fantasque,
Auant le Carnaual te fait aller en masque ?
Qui t'a mis sur le front ce bourlet de bassin ?
Porte-tu des monmons, apprens moy ton dessein.

LISANDRE.

875   Monsieur, vous me prenez sans doute pour vn autre.
Passez vostre chemin.

LVCILE.

           O Dieux ! le bon Apostre !
Est-il poste effronté qui le soit à ce point !
Tu ne me connois pas ?

LISANDRE.

           Ie ne vous connois point.

LVCILE.

Quelles desloyautez ! quelles ingratitudes !
880   Quoy ? tu n'es pas mon fils que i'ay mis aux Estudes ?
Lisandre, fils d'Orante, & natif d'Orleans ?

877. FURETIÈRE : On appelle populairement *un petit poste* un jeune
garçon gai et éveillé qui aime à courir, qui ne peut se tenir en place. —
RICHELET : Ce mot se dit d'un petit garçon un peu fripon qui ne
songe qu'à courir.
881. Orante est le nom de la mère de Lisandre.

LISANDRE.

Non, ie viens de sortir des mains des mescreans,
Marseille m'a veu naistre, & pris auec mon pere,
I'ay souffert à Thunis vne longue misere.
885 Nous auons là porté plus de seize ans les fers,
Et souffert tous les maux que l'on souffre aux Enfers.

LVCILE.

O discours ridicule !

LISANDRE.

O lamentable histoire !

LVCILE.

Ie ne m'abuse pas.

LISANDRE.

Vous me pouuez bien croire.

LVCILE.

Traitte mieux qui te parle auec tant de douceur.

LISANDRE.

890 Ouy, Manille est ma mere, & Lucinde est ma sœur ;
Et ie n'ay commencé d'estude de ma vie,
Si ce n'est à ramer sur la Mer de Syrie.
Maudite soit l'estude, & le Maistre à jamais.
Trouuez bon là dessus de me laisser en paix.

LVCILE.

895 Ie ne me trompe point, il me dit des sornettes.

LISANDRE.

Il n'est point de besoin de tirer vos lunettes.

LVCILE.

Ie ne me trompe point, ce sont traits de matois,
Ie reconnois fort bien son visage & sa voix.

LISANDRE.

S'il faut que par malheur vostre fils me ressemble,
900   Pour Dieu cherchez-le ailleurs, & raisonnez ensemble.

---

897. *Matois*. Cf. vers 863.
900. Richelet : *Raisonner*. Parler, discourir de bon sens, apporter et
alléguer des raisons.

SCENE CINQVIESME.

PHENICE. LISANDRE. LVCILE.

PHENICE.

Lisandre, venez donc, qui vous arreste icy?

LISANDRE.

A-t'on accoustumé de me nommer ainsy?
Comment m'appelles-tu? l'aduanture bizarre!

PHENICE.

La langue m'a fourché, ie veux dire Sillare.

LVCILE.

905   Hé bien! tu n'es donc pas mon fils?

LISANDRE.

Moy? point du tout.
Ces discours ennuyeux n'auront-ils point de bout?

PHENICE.

Entrez donc promptement.

LISANDRE.

Ce vieux homme seuere
M'arreste de la sorte, & dit qu'il est mon pere.

PHENICE.

C'est qu'il a la berluë, & quand on deuient vieux,

909. *Indication de scène* : Lisandre sort, laissant Phénice aux prises
avec Lucile.

910   On est de la maniere estrange & lubieux.

LVCILE.

Ie n'ay point de berluë, & n'ay point de lubie.

PHENICE.

Vous ne le croyez pas.

LVCILE.

Ny n'en eus de ma vie.
Mais vous parlez vous mesme en fille de berlan.

PHENICE.

De berlan ? parlez mieux, allez, vieux allebran,
915   Simulacre plastré, anticaille mouuante,
Squelette descharné, sepulture ambulante,
Monopoleur insigne, & maistre des larrons,
De qui les coins des yeux semblent des esperons,
Et de qui chaque tempe est creusée en sauciere,
920   Attens-tu donc icy la croix & la baniere ?
Si, mais ie dis bien-tost, tu ne t'en vas plus loin,
Ton nez s'enrichira de quelque coup de poing.

LVCILE.

On ne doit point fraper des hommes de mon âge.

---

910. Dans le texte : *de ta manière.* Il faut sans nul doute lire : *de
la manière,* pour : de cette manière, comme au vers 1051.

913-914. FURETIÈRE : *Brelan.* Se dit d'une Académie ou maison où
l'on donne publiquement à jouer aux dés ou aux cartes. — RICHELET :
Brelan, Berlan. Le premier de ces mots est le meilleur.

914. FURETIÈRE : *Alebran.* D'autres écrivent *halbran* ou *halebran.*
Jeune canard sauvage.

915. ACAD. : *Simulacre.* Il signifie aussi spectre, fantôme.

917. FURETIÈRE : *Monopoleur.* Celui qui est seul à faire le commerce
de quelque chose, particulièrement de ce qui est nécessaire à la vie. Le
peuple a rendu encore ce mot plus odieux, car il l'étend à ceux qui sont
exacteurs des impôts et maletôtes.

PHENICE.

Va-t-en donc promptement, tu ne feras que sage.
925   Moy fille de Berlan ? penard iniurieux,
Ie pourrois t'arracher les prunelles des yeux,
Et te dauber si bien

LVCILE.

Arrestez, ie vous prie.

PHENICE.

Qu'il en seroit parlé.

LVCILE.

N'entrez point en furie ;
Excusez le transport de mon iuste courroux,
930   I'en voulois à mon fils qui vient d'entrer chez vous.

PHENICE.

Luy ? s'il est vostre fils, Lucinde est vostre fille,
C'est le fils d'Alcidor, c'est le fils de Manille.

LVCILE.

Hé ! dites, dites vray.

924. Le Pot de fer proposa Au Pot de terre un voyage. Celuy-cy s'en
excusa, Disant qu'il feroit que sage De garder le coin du feu. (La Fontaine, *Fables*, V, VII.)

925. FURETIÈRE : *Penard*. Terme injurieux qu'on dit quelquefois des
hommes âgés, des vieillards cassés. — Un vieux penard, à qui cette
petite rusée vuidait la bourse d'une merveilleuse façon. (TRISTAN, *Le
Page Disgracié*, I, XIX.) — Moquez-vous des sermons d'un vieux barbon
de père. Poussez votre bidet, vous dis-je, et laissez faire. Ma foi, j'en
suis d'avis que ces penards chagrins Nous viennent étourdir de leurs
discours badins, Et, vertueux par force, espèrent par envie Oster aux
jeunes gens les plaisirs de la vie. (MOLIÈRE, *L'Etourdi*, I, II.)

PHENICE.

Quoy ? ce n'est point mentir ;
Il reuient de Thunis, d'Alger, de Iaffe & Thyr,
935 Du Caire, & d'vne mer plus grande que la France,
Il a de son vaisseau passé par la Prouence.

LVCILE.

Et puis par Orleans pour prendre son quartier,
Et le venir dependre à faire vn beau mestier.

PHENICE.

Vne oreille vous corne, & vous fait mal entendre.

LVCILE.

940 Comment s'appelle-t-il ?

PHENICE.

Sillare.

LVCILE.

Ou bien Lisandre ;
C'est ainsi que tantost vous l'auez appellé.

PHENICE.

Des discours d'vn Romant i'auois l'esprit broüillé,
Et venant appeller Sillare à l'improuiste,
Ie pensois appeller Lisandre de Caliste.

---

937. FURETIÈRE : On dit aussi le quartier d'une rente, d'un terme,
d'une pension, pour dire ce qui est échu pendant trois mois ou le quart
de l'année.

938. FURETIÈRE : *Dépendre* signifie aussi dépenser. — RICHELET : Ce
mot pour dire dépenser est hors d'usage.

944. *Histoire trage-comique de nostre temps sous les noms de Lisandre et de
Caliste*, par le s^r D'AUDIGUIER, 1615.

LVCILE.

45 O la fourbe plaisante ! exprimée en trois mots !

PHENICE.

Ne venez point icy nous conter des fagots.
Si vous ne le croyez, charbonnez-le, bon homme.
Cét enfant est à nous, & Sillare il se nomme.

LVCILE.

Hé ! de grace, espargnez vn peu la verité.

PHENICE.

950 Il me fera tourner ma coëffe de costé.

LVCILE.

Ma fille, ie suis vieux, i'ay de l'experience,
Et ie sçay ce que vaut la paix de conscience.
Parlons plus franchement.

PHENICE.

                    Ma foy vrayment c'est mon,
Le voila bien campé pour nous faire vn sermon.

---

946. FURETIÈRE : *Conter* signifie aussi En faire accroire, donner pour vraies des choses fausses et incroyables. Cet homme *conte des fagots*, c'est à dire des bagatelles, des choses ridicules. — *Fagot*. On dit prover-bialement qu'un homme nous conte des fagots, quand il nous dit des choses fabuleuses.

947. OUDIN : Si vous ne le voulez croire, charbonnez le. C'est une sotte allusion de *croire* à *crayer* (écrire avec de la craie). Vulgaire.

953. FURETIÈRE : Dans ce mot de *C'est mon*, il faut sous-entendre *avis*, qu'on a retranché pour abréger. — Ardez, voire, c'est mon : je me connois en gens... Nous montons et, montans, d'un « c'est mon » et d'un « voire » Doucement en riant j'apointois nos procez. (RÉGNIER, *Satire XI*.)

LVCILE.

955   Mais ne nous faites point de bruit ny de reproches.

PHENICE.

Le voila bien vuidé pour tourner quatre broches.

LVCILE.

Hé ! de grace, employons des termes plus humains.

PHENICE.

Monsieur, adieu, bon soir, ie vous baise les mains,
Vne bille, vn tambour, vne coëffe à cornette,
960   Vne citroüille, vn cocq, de l'espine vinette,
C'est en bon baragoüin, tire, passe sans flus,
Abandonnez cét huis, & n'y reuenez plus,
Ou sur l'estuy chagrin de ce cerueau malade,
I'iray bien-tost verser vn pot de marmelade.

LVCILE.

965   Quel discours ? & quel pot ? suis-je au païs des fous ?

PHENICE.

C'est vn pot à pisser tout preparé pour vous.
Attendez seulement.

---

956. Tu es homme fait pour tourner à quatre broches... Le voyez-
vous, il est basty comme quatre œufs et un morceau de fromage. (CRA-
MAIL, *Comédie des proverbes*, III, vii.)

961. HUGUET, *Langage figuré* : Le mot *flux* désigne une suite de
cartes de la même sorte... Le joueur à qui manque les cartes de la sorte
nécessaire dit : *Passe sans flux*. Au figuré cette expression marque le
mécontentement ou l'indifférence. Elle peut signifier : passons outre !

964. Elle vous fait present de cette cassolette. — Fi ! cela sent mauvais et je suis tout gâté. (MOLIÈRE, *L'Etourdi*, III, ix.)

SCENE SIXIESME.

Le Capitan. Phenice. Lvcile.

Le Capitan.

Quel courroux vous transporte ?

Phenice.

C'est vn fou qui sans cesse assiege nostre porte,
Et nous vient estourdir de ses illusions.

Lvcile.

70 Je parlois de mon fils.

Phenice.

Ce sont des visions.

Lvcile.

Voudroit-on bien m'oster les sentimens de pere ?

Phenice.

Vous m'obligeriez fort si vous le faisiez taire.

Le Capitan.

De mesme que l'on couppe vn petit brin d'ozier,
Ie m'en vais luy trencher la nuque & le gozier.

Lvcile.

975 Tout beau, tout beau, Monsieur, ne querellez personne,
Nous sommes du mestier, bien que ce poil grisonne.

Le Capitan.

Dites vostre inmanus, ou bien doublez le pas.

Lvcile.

Monsieur, encore vn coup, ne vous emportez pas.
Sçauez-vous qui ie suis ?

Le Capitan.

Vne barbe assez salle.

Lvcile.

980   Et que ie suis Preuost ?

Le Capitan.

Comment ? Preuost de Salle ?
Monsieur, excusez moy, ie vous dois tout honneur ;
Commandez, s'il vous plaist, à vostre seruiteur.
Sur cette qualité i'ay changé de pensée.

Lvcile.

Monsieur, ie suis Preuost d'vne Mareschaussée.

Le Capitan.

985   N'importe, i'ay ce titre en veneration ;

977. Trévoux : *In Manus.* Expression latine qu'on emploie dans le
style burlesque et familier. C'est le commencement d'une prière ecclé-
siastique qu'on récite à Complies : In manus tuas, Domine, commendo
spiritum meum.

980. Richelet : *Prévot de salle.* C'est celui qui enseigne à la place du
maître d'armes.

984. Richelet : *Prévot des Maréchaux.* C'est un Juge Royal établi dans
les provinces sous l'autorité des Maréchaux de France, qui a juridic-
tion sur les vagabonds, sur ceux qui volent à la campagne et sur ceux
qui font de la fausse monnaie, et qui prend connaissance des meurtres
de guet à pens.

C'est vne qualité dont ie crains l'action.

Lvcile.

Ne vous en moquez point, pour vn gibier semblable
Nous auons des levriers qui vont comme le Diable.

Le Capitan.

De leurs dents toutefois nous serons espargnez.

Lvcile.

Nous reuiendrons bien-tost & mieux accompagnez.

SCENE SEPTIESME.

Manille. Le Capitan.

Manille.

Quel vacarme & quel bruit se fait deuant ma porte ?
Aupres des gens d'honneur en vser de la sorte ?
C'est auoir grand respect pour nostre logement
Que de faire si pres vn esclaircissement.

Le Capitan.

995   Ha ! Madame, excusez vne humeur chaude & prompte.

Manille.

Comment vous excuser ? n'auez-vous point de honte ?
Contre vn vieillard caduc, & foible & desarmé,
Mettre l'espée au vent ? vous en serez blâmé.
Dés-là i'en rabas quinze, est-ce auoir du courage
1000   Que de se vouloir prendre aux hommes de cét âge ?
Ie me détrompe fort, & choisirois fort mal
Si ie prenois iamais vn gendre si brutal.

Le Capitan.

Madame, ce n'estoit qu'vne galanterie.

---

999. RICHELET : *Rabattre.* Diminuer de l'estime qu'on avoit pour
quelqu'un. — FURETIÈRE : *Quinze* en termes de jeu de paume est le premier coup qu'on gagne à chaque jeu de chaque partie. On dit en toutes
sortes de jeux ou d'affaires qu'un homme a quinze sur la partie quand
il a un notable avantage.

1003. HUGUET, *Glossaire* : On dit par extension : ce n'est qu'une
‑‑terie, pour dire que c'est une chose de peu d'importance. —
515 et 1339.

Manille.

05A d'autres : de là haut i'ay veu cette furie ;
Mon fils de chez les Turcs depuis peu reuenu,
Encor que ce vieillard luy soit fort inconnu,
Voyant vne action si lasche & si vilaine,
En est si fort esmeu qu'on le retient à peine.
Là haut auec sa sœur ie viens de l'enfermer,
10De peur que son courroux que i'ay veu s'allumer,
Au défaut d'vne espée empoignant vne broche,
Ne vous fit sur cet acte vn plus sanglant reproche.

Le Capitan.

Madame, ie l'aurois satisfait sur ce point.
Mais quel est donc ce fils dont vous ne parliez point ?

Manille.

15C'est Sillare : ce fils que ie pleurois naguere ;
Qui fut dans vn esquif pris auecque son pere,
Dés l'âge de deux ans mis en captiuité,
Et que depuis trois mois quelqu'vn a rachepté.

Le Capitan.

C'est vne chose estrange, & difficile à croire ;
20Vous disiez l'autre jour, si i'ay bonne memoire,
Que de certains Marchands trafiquans à Memphis,
Escriuoient qu'Alcidor reuenoit sans son fils :
Et pour monstrer la chose encor plus assurée,
Ils marquoient ce fils mort d'vne fiévre pourprée ;

1024. Richelet : *Pourprée*. Ce mot se dit de certaines fièvres et de certaines maladies où il paroit du pourpre. *Pourpre*. Ce mot signifie une sorte de maladie qui consiste à avoir le corps couvert de taches bleues ou noirâtres qui viennent en suite d'une fièvre maligne. — Cf. 266 et 1702.

1025　Et qu'en certain endroit Alcidor auec deüil
　　　　Auoit luy-mesme mis son enfant au cercüeil.

MANILLE.

C'est de cette façon qu'on m'escriuoit naguere :
Mais c'est que l'on a mis le fils au lieu du pere.
Ce Marchand à la haste escriuant cét avis,
1030　Nous designoit ainsi le pere pour le fils.
Ces Marchands de leur fait ont la teste troublée.

LE CAPITAN.

Cette affaire pourtant peut estre desmeslée.
Dites-moy, vostre fils auoit-il quelque sein
Sur le bras, sur la jambe, au dos ou sur le sein ?
1035　Au col, dessus l'espaule, ou dessus le visage ?
Qui de ces veritez vous rende tesmoignage ?

MANILLE.

Apres vingt ans passez dans vn si grand ennuy,
Il ne me souuient plus d'Alcidor ny de luy,
Mais il nous a donné de tout plus d'vne enseigne.
1040　Il n'est point chez les Turcs de lieu qu'il ne despeigne.

1031. HUGUET, *Glossaire* : *Fait*. Façon d'agir, manière d'être, propre
à quelqu'un. — Il s'aperçoit Que leur fait n'est que bonne mine. (LA
FONTAINE, *Fables*, IV, XIV.)

1033. TRÉVOUX : *Sein*, pour dire les marques naturelles que nous avons
sur quelques parties du corps, en latin Nœvus, n'est pas François, ou ne
se dit que parmi le peuple. On dit *Signe*. — FURETIÈRE : *Seing*. Ce mot
vient du latin *Signum*. — Cf. vers 1206.

1037-38. S'il alloit de son fils me demander la mine ? — Belle diffi-
culté ! devez-vous pas savoir Qu'il estoit fort petit alors qu'il l'a pu
voir. (MOLIÈRE, *L'Étourdi*, IV, I.)

1039. HUGUET, *Glossaire* : *Enseigne*. Marque servant à faire recon-
naitre quelque chose. Je le reconnus à l'enseigne qu'on m'en avait
donnée.

Le Capitan.

Mais parle-t-il bon Turc ?

Manille.

Bon Turc ? ie n'en sçay rien.

Le Capitan.

Il faut le confronter à quelque Armenien,
Qui sçache le païs, qui sçache le langage,
Pour voir s'il n'a point fait vn fabuleux voyage.
45   La tromperie est grande au siecle où nous viuons ;
Et nous ne disons pas tout ce que nous sçauons.

Manille.

Et quoy ? que sçauez-vous, parlez donc ?

Le Capitan.

Ie le celle,
Pour ne m'engager pas à faire vne querelle.

Manille.

C'est fort bien fait à vous ; voicy de nos fendans
50   Qui querellent si bien les gens de soixante ans.
Ces vaillans circonspects, & faits de la maniere,
A ne vous rien celer, ne me reuiennent guere.

Le Capitan.

Madame.

Manille.

Brisons là.

1044. Furetière : *Fabuleux*. Feint, controuvé, inventé à plaisir.
1049. Depuis les plus chetifs jusques aux plus fendans. (Regnier, *Satire XIII*.) — Cf. vers 512.

LE CAPITAN.

Mais ie vous veux prier.

MANILLE.

Mais ma fille, Monsieur, n'est plus à marier.

LE CAPITAN.

1055   C'est s'emporter beaucoup pour chose si petite.

MANILLE.

Ie ne m'emporte point, la chose le merite.
I'aurois pris pour bastir vn mauuais fondement ;
Adieu, Monsieur, adieu, voyons-nous rarement.

LE CAPITAN.

Madame, encore vn mot. Elle est ma foy colere.
1060   Tandis l'Orleannois là dedans fait grand chere :
Mais les inuentions viendront à me manquer,
Ou deuant qu'il soit peu ie vais le debusquer.
Esloignons-nous tandis, de peur de quelque orage,
Que pourroit exciter cette femme peu sage.

FIN DV TROISIESME ACTE.

1059. *Indication de scène* : Le Capitan reste seul.

ACTE QVATRIESME.

SCENE PREMIERE.

Le Capitan. Cascaret.

Le Capitan.

65 Poussé de l'interest, ou poussé de l'Amour,
L'Escolier d'Orleans sans doute a fait le tour.
Il passe maintenant pour enfant de Manille,
Et sous vn si beau titre il seduira sa fille ;
Et ce fourbe subtil, ce lasche suborneur
70 Aura de leur maison & les biens & l'honneur.

Cascaret.

L'artifice, Monsieur, si ie m'y sçay connestre
N'est pas tour d'Escolier, mais vn vray tour de Maistre.

Le Capitan.

Quoy, si facilement croire cét inconnu.

Cascaret.

Si vous eussiez bien fait vous l'eussiez preuenu ;
75 Et vous serez long-temps en vne peine extrême,
Si vous n'vsez encor d'vn pareil stratageme.

Le Capitan.

Envoyer la dedans quelque feint Alcidor ?

1074. Richelet : *Prévenir*. Anticiper. Se saisir et s'emparer aupara-
vant.

CASCARET.

Ouy, ouy, ie vous l'ay dit, & vous le dis encor.

LE CAPITAN.

La chose absolument n'est pas sans apparence,
1080   Manille m'a paru de facile croyance.
Si l'homme que tu dis adroit & bien instruit,
Pour estre son Espoux ainsi s'estoit produit,
De l'humeur dont elle est elle pourroit le croire,
Car de son Alcidor elle a peu de memoire ;
1085   Il s'y faudra resoudre apres auoir resvé.
Mais où trouuer cét homme ?

CASCARET.

                    Il est desia trouué.
Ne vous ay-je pas dit qu'en nostre Hostellerie
I'ay sondé là dessus vne barbe fleurie,
Vn vieillard estranger qui pour vingt escus d'or
1090   Ira se presenter sous le nom d'Alcidor,
Se dira hautement le mary de Manille,
Et soustiendra fort bien que Lucinde est sa fille ;
Pour vn si beau dessein ie l'ay fort bien instruit,
Et par des mouuemens que l'interest produit,
1095   Sur l'attente de faire vne si belle proye,
Il a tressailly d'aise, il a pleuré de ioye ;
Repetant apres moy tout ce que i'auois dit,
Il vous a pris le ton d'vn homme de credit ;

1080. ACAD. : *Croyance*. Il signifie aussi la croyance qu'on a en quelqu'un. — OUDIN : *De légère croyance*. Facile à persuader.
1098. FURETIÈRE : *Crédit*. Considération, réputation, estime qu'on
s'acquiert dans le public, par la vertu, la probité, la bonne foi et le
mérite.

Il a fait ce recit d'vne façon si tendre
100 Que vous auriez versé des larmes à l'entendre;
Vous ne vistes iamais vn plus hardy galand,
C'est pour ioüer ce role vn acteur excellent.

Le Capitan.

Il faut donc l'employer, mais où le peut-on prendre?

Cascaret.

Dans cette mesme place il doit bien-tost se rendre.
105 Il contoit auec l'Hoste, il payoit son repas,
Et doit venir bien-tost, il marche sur mes pas,
N'apperceuez-vous pas vne casaque bleuë?
Tout en parlant du loup nous en voyons la queuë.
Il est comme de cire.

Le Capitan.

Il est assez bien fait.

Cascaret.

110 Il parle, escoutons bien, c'est vn homme à souhait.

1101. Furetière : On dit aussi qu'un homme est un *galant* pour
dire qu'il est habile, adroit, dangereux, qu'il entend bien les affaires.
— Cf. vers 747, 1254, 1585.

1109. Furetière : *Cire* se dit figurément des choses molles et flexibles
à qui l'on peut donner diverses formes et diverses figures. On dit aussi
Cela lui vient *comme de cire*, pour dire fort à propos.

SCENE SECONDE.

ALCIDOR. LE CAPITAN. CASCARET.

ALCIDOR.

Comme apres la tempeste il vient vne bonnace,
De mesme le bonheur succede à la disgrace ;
Le repos suit la peine, & ne conserue rien
Des aigreurs du tourment dans la douceur du bien.
1115 Aujourd'huy que ie suis deliuré de mes peines,
Auec contentement ie regarde mes chesnes ;
Ie pourray sans ennuy parler de ma prison
Si ie puis sain & sauf regagner ma maison.

CASCARET.

Qui pourroit d'Alcidor estre mieux la peinture ?

LE CAPITAN.

1120   Voila ce qu'il nous faut, ô l'heureuse aduanture.

ALCIDOR.

Ie reuerray Manille apres tant de malheurs.

CASCARET.

En parlant de Manille il a versé des pleurs.

ALCIDOR.
Ie reuerray Lucinde.

LE CAPITAN.
Il a bonne memoire.

ALCIDOR.

Les trouuer à Paris, ha! qui l'auroit pû croire ;
Mais, Sillare, auec moy tu deuois reuenir.

CASCARET.

Il a fort bien de tout gardé le souuenir.

ALCIDOR.

Nous fusmes separez par vn sort trop seuere,
Ie recouuris tes os d'vne terre estrangere,
Et par vn grand bonheur i'aprens qu'vn inconnu,
Pour dissiper mes biens en ta place est venu.
Mais i'empescheray bien cette iniuste entreprise,
I'ay le cœur assez vert sous cette barbe grise.

CASCARET.

Ie veux que d'vn leuier on m'herne comme vn chien,

LE CAPITAN.

Ie m'en vay luy parler.

CASCARET.

S'il ne reüssit bien.

LE CAPITAN.

Estranger, quatre mots.

1133. MÉNAGE : *Erner*, d'*erenare*, qui est comme qui dirait : *renes
luxare, renes frangere*. D'autres disent : éreinter. (LE DUCHAT.) —
FURETIÈRE : *Errener* (on prononce *erner*). Fouler ou rompre les reins.
— Je voyois près de là Maillet qui tout herné Disoit que les neuf sœurs
l'avoient cent fois berné. (TRISTAN, *Le Page Disgracié*, II, LV.)

ALCIDOR.

Plutost vne douzaine.

LE CAPITAN.

Vous allez obliger un braue Capitaine.

CASCARET.

Il le reconnoistra, vous le pouuez iuger.

ALCIDOR.

C'est moy-mesme en cela que ie vais obliger,
Et ce ne sera point pour vn gain deshonneste.

LE CAPITAN.

1140   Il n'est pas mal adroit.

CASCARET.

Ce n'est pas vne beste.

LE CAPITAN.

Mais souuenez-vous bien de dire qu'à Memphis,
Vous auez de vos mains enterré vostre fils.

ALCIDOR.

Puis-je dire cela sans respandre des larmes.

LE CAPITAN.

Tant mieux, pour esmouuoir ce sont de puissans charmes

ALCIDOR.

1145   Helas !

LE CAPITAN.

Bon, soûpirez.

ALCIDOR.

Lors que la mort le prit,
Ce fut entre mes bras qu'il vint rendre l'esprit.
O souuenir amer !

LE CAPITAN.

C'est ainsi qu'il faut dire.

CASCARET.

Ha ! Monsieur, qu'il est bon, voyez comme il soûpire.

LÈ CAPITAN.

Il n'est pas mal instruit.

CASCARET.

Il sçait bien sa leçon,
Et s'en va declamer d'vne bonne façon.
Pour patron du logis faites vous reconnestre.

ALCIDOR.

Montrez-moy ce logis, i'y vay fraper en Maistre.

LE CAPITAN.

En suite vous ferez succeder mon desir.

ALCIDOR.

Il en faudra traitter auec plus de loisir.

1153. FURETIÈRE : *Succéder* signifie aussi réussir. Cette affaire lui a bien succédé.

SCENE TROISIESME.

ALCIDOR. FRIPESAVCES. PHENICE.
LE CAPITAN. CASCARET.

ALCIDOR.

1155 Hola !

FRIPESAVCES *à la fenestre.*

Qui heurte ainsi ? quelque gueux d'importance ;
Les pauures d'aujourd'huy n'ont point de patience.

ALCIDOR.

Ouurez viste.

FRIPESAVCES.

Attendez que nous ostions les plats.
Nous verrons si pour vous nous n'auons rien de gras.

ALCIDOR.

Ouurez-moy seulement, gras ou maigre il n'importe.

PHENICE.

1160 Je pense que tu veux enfoncer nostre porte.
Voyez comme ces gueux deuiennent effrontez.

ALCIDOR.

Ie ne suis point vn gueux, ouurez, dis-je, & sortez,
Regardez qui vous parle.

PHENICE.

O Dieux ! quelle impudence.

ALCIDOR.

I'ay plus d'authorité ceans que l'on ne pense.

CASCARET.

165   Monsieur, ie suis vn sot, ou c'est bien commencé.

PHENICE.

Fripesauces, va donc chasser cét insensé.

ALCIDOR.

Vous pouuez vous tromper en tenant ce langage :
Manille en me voyant sçaura si ie suis sage.

PHENICE.

O comme en me parlant il a roüillé les yeux,
170   Ie n'ayme point ces fous qui sont si furieux.

FRIPESAVCES *ouurant la porte*.

Tu demandes Manille, hé ! que luy veux-tu dire ?

ALCIDOR.

D'agreables propos dont tu ne dois pas rire.

FRIPESAVCES.

I'en ris à pleine gorge, & ne sçay ce que c'est.

ALCIDOR.

Tu n'y trouueras pas tantost ton interest.
175   Va, dis luy seulement qu'Alcidor la demande.

1169. RICHELET : *Rouler* ou *roüiller les yeux*. On dit l'un et l'autre,
mais on pense que le vrai mot c'est *rouler les yeux*.

FRIPESAVCES.

Fut-il iamais parlé d'impudence plus grande !
Ces propos à la fin me mettroient en courroux.
Quel est cet Alcidor ?

ALCIDOR.

Alcidor son Espoux,
Qui fut pris par les Turcs aux costes de Marseille,
1180   Et qu'on a rachepté.

FRIPESAVCES.

O fourbe sans pareille !
O le plaisant vieillard !

ALCIDOR.

O le fâcheux maraut.

CASCARET.

Il ne se defait point.

LE CAPITAN.

Il le prend comme il faut.
Mais tirons nous plus loin.

FRIPESAVCES.

Ha ! i'ay veu qui t'ameine.
C'est vne inuention de nostre Capitaine.
1185   O que le trait est drole ! & qu'il est bien instruit.

1182. RICHELET : *Se défaire.* S'étonner, se troubler.
1185. LITTRÉ : *Instruire.* Du latin *instruere*, bâtir, construire dans (*in*, dans, *struere*, bâtir).

SCENE QVATRIESME.

LVCINDE. PHENICE. ALCIDOR. FRIPESAVCES.

LVCINDE.

Quelle raison vous porte à faire tant de bruit ?

FRIPESAVCES.

Ce captif racheté dit qu'il est vostre pere.

ALCIDOR.

O Cieux ! ie la voy donc cette fille si chere !
Lucinde, vostre pere est enfin de retour ;
190   Vous voyez deuant vous qui vous a mise au jour.

LVCINDE.

Vous ? vous estes mon pere ?

ALCIDOR.

                Il est tres-veritable.

PHENICE.

Ha ! qu'il est ridicule !

LVCINDE.

              Ha ! qu'il est admirable !
Si pour nous abuser il n'est point aposté,
Il nous esclaicira de cette verité.

1192. RICHELET : *Ridicule.* Ce mot se dit des choses et des personnes,
et il signifie sot, impertinent, extravagant.

ALCIDOR.

1195   Ie le veux ; de bon cœur ; i'ay la memoire bonne,
    Quand ie fus pris des Turcs nous estions dans l'Automne.
    Vous pouuiez bien auoir enuiron treize mois,
    Et i'ay veu vostre corps tout nud plus d'vne fois.

LVCINDE.

Il me fera rougir, adieu, ie me retire.

ALCIDOR.

1200   Ne vous retirez point, pour dieu laissez-moy dire.
    Vostre mere en grossesse eut vn goust depraué,
    Et sous ce teton droit qu'on voit si releué,
    Fit par cét appetit former une groselle,
    Qui durant la saison semble assez naturelle.

LVCINDE.

1205   Ma mere a diuulgué cette marque en mon sein.

ALCIDOR.

Mais sur la cuisse encor n'auez-vous pas vn sein ?

LVCINDE.

De qui l'a-t-il apris ? ie suis toute confuse.

1203. RICHELET : *Groseille, groiselle.* Quelques uns disent et écrivent *groiselle,* mais tout Paris dit *groseille.* C'est le fruit du *groselier.* — La rime : *groselle, naturelle,* peut donc se défendre. Cela est un peu plus difficile pour les rimes *bouteilles, nouvelles* (vers 369-370) et *ustensiles, béquilles* (vers 1307-1308), à moins d'autres cas constatés de prononciation provinciale.

PHENICE.

C'est possible vn Boheme, & c'est leur moindre ruse.

FRIPESAVCES.

Ils disent bien souuent ces choses par hazard.

LVCINDE.

10   Du diuertissement mon frere aura sa part.

1208. FURETIÈRE : *Bohème.* Se dit de certains gueux errants, vagabonds et libertins, qui vivent de larcins, d'adresse et de filouteries ; et
surtout qui font profession de dire la bonne aventure au peuple cré-
dule et superstitieux. — Cf. INTRODUCTION, p. XI : ... les Bohémiens... savent, d'après un signe qu'ils voient sur un visage, à quel
endroit du corps se trouve le signe correspondant.

SCENE CINQVIESME.

LVCINDE. ALCIDOR. FRIPESAVCES.
PHENICE. LISANDRE.

LVCINDE.

Sillare, approchez-vous.

ALCIDOR.

Est-il d'autre Syllare
Que celuy qui mourut en vn païs barbare,
Ce fils qu'en des trauaux, & des maux si cuisans,
I'ay veu dessous les fers pres de douze ou treize ans.

FRIPESAVCES.

1215 Iamais Comedien ne ioüa mieux son role :
Mais ie vais l'arrester d'vne seule parole.
Ie ne m'estonne pas de ce qu'il parle ainsi,
I'ay fort bien veu les gens qui l'ont conduit icy.
Vn certain Capitaine, adroit, dispos, alaigre,
1220 Qui parle incessamment & va comme vn chat maigre,
Durant que tu heurtois ne te suiuoit-il pas ?

ALCIDOR.

Il a iusqu'à la porte accompagné mes pas.

FRIPESAVCES.

Et c'estoit Matamore ; en faut-il dauantage
Pour montrer clairement d'où vient ce tripotage ?

LVCINDE.

1225 Par ce qu'il nous confesse, il nous découvre tout.

ALCIDOR.

A d'autres, nous mettrons toute l'affaire à bout.

LISANDRE.

Ma sœur, il nous fait voir malgré sa rhetorique,
Que c'est vn Alcidor de nouuelle fabrique.

ALCIDOR.

Enfin cét Alcidor âgé de soixante ans
Reconnoistra fort bien sa femme & ses enfans.

30

1226. FURETIÈRE : Venir *à bout* d'une chose, c'est l'achever heureu-
sement.

SCENE SIXIESME.

LVCINDE. MANILLE. FRIPESAVCES.
LISANDRE. ALCIDOR. PHENICE.

LVCINDE.

O Dieux! ma mere vient! ô que ie suis troublée !

MANILLE.

Que faites-vous icy ? voila belle assemblée.
Et vous deuez, sans doute, auoir quelque raison
Pour me laisser ainsi seule dans la maison.

ALCIDOR.

1235   Ha ! ma chere Manille ! hé que ie vous embrasse !

MANILLE.

Quel est cét insensé, d'où luy vient cette audace ?

ALCIDOR.

O ma vie ! ô mon cœur !

FRIPESAVCES.

Allez, retirez-vous,
Madame n'ayme pas les caresses des fous.

ALCIDOR.

Si ie suis insensé, c'est de la seule joye

1240   Que me donne le Ciel souffrant que ie la voye :
        Ha ! que je suis heureux de la voir en ce point !

                        MANILLE.

        Croit-il estre Alcidor, ne se mocque-t-il point ?

                        LISANDRE.

        C'est vn Docteur subtil, des fourbes c'est le maistre.

                        ALCIDOR.

        Et vous vn imposteur qu'on sçaura reconnestre.

                        LISANDRE.

1245   Impudent.

                        MANILLE.

                Arrestez, & le laissez parler.

                        ALCIDOR.

        Dans ma propre maison tu m'oses quereller ;
        Mais ie te feray voir que i'ay tant de courage
        Qu'on se met en danger alors que l'on m'outrage.

                        LISANDRE.

        Madame, permettez.

                        MANILLE.

                    Me perdre le respect ?
1250   C'est ce qui l'authorise, & qui vous rend suspect.
        Rentrez pour dissiper cette humeur si mauuaise.
        Ie veux à ce vieillard parler tout à mon ayse.
        Vous, tenez-vous plus loin.

PHENICE.

O Dieux! tout est perdu!

ALCIDOR.

Manille, ce galand qui fait de l'entendu,
1255   S'il se dit vostre fils, vous abuse & vous trompe.
I'ay peur que sous ce nom nostre fille il corrompe.

MANILLE.

Mais vous qui hardiment vous dites mon Espoux,
Il faut premierement mieux prendre garde à vous.

ALCIDOR.

Remettez-vous vn peu les traits de mon visage,
1260   Mon alleure, mon port, ma façon, mon langage.

MANILLE.

I'en reconnois quelqu'vn, mais ce n'est pas assez.

ALCIDOR.

Ce long esloignement les a-t-il effacez?
O Dieux! plus cherement i'ay gardé la memoire
D'vn soir que ie vous vis dessus les bords de Loire.
1265   Ne vous souuient-il plus de l'aymable sejour
Où ie vous declaray l'excés de mon amour?
Lors que vostre pudeur en oyant ce langage
D'vn subtil vermillon couurist vostre visage?
Et comme dans la ville apres vn long tourment,
1270   I'obtins de vostre bouche vn doux consentement?

1256. FURETIÈRE : *Corrompre* signifie aussi séduire, suborner, débau-
her quelqu'un, le faire agir contre son devoir. Corrompre une femme.

MANILLE.

Tout cela ne dit rien.

LISANDRE.

Ha! que i'en suis rauie!

MANILLE.

Tout Orleans a sceu cét endroit de ma vie.
Mais me diriez-vous bien le songe que je fis,
Trois iours auant que perdre Alcidor & mon fils?

ALCIDOR.

1275 Ie crois le pouuoir dire auec toute asseurance.

MANILLE.

Parlons bas.

PHENICE.

Comment donc? ils sont en confidence?

LVCINDE.

Phenice, c'est mon pere, il n'en faut point douter.

PHENICE.

Quoy? si facilement se laisser affronter?
Comment? cét imposteur, ce conteur de nouuelles,
1280 Viendra s'insinuer pour rogner nos escuelles?

1271. Au lieu de LISANDRE que porte le texte, il faut, *ravie* étant au
féminin, lire LVCINDE, ou peut-être PHENICE.
1278. FURETIÈRE : *Affronter*. Tromper quelqu'un malicieusement,
d'une manière basse, rusée, maligne, et sous prétexte de bonne foi. Il
m'a affronté de dix pistoles.

Il reuient de la mer tout seul dans trois batteaux,
Afin de nous gronder & tailler nos morceaux.
Auec ses caleçons, auec son bout de chaine,
Voyez, n'est-il pas fait d'vne belle desguaine ?
1285   O le plaisant faquin ! le voila reuenu,
Il n'a qu'à discourir il sera reconnu.
On en reconnoist tant de faits de cette sorte.
S'il ne s'en peut aller que le Diable l'emporte.
Quand sept ans & le iour d'apres sont expirez,
1290   La femme & le mary sont-ils pas separez ?
Lors que l'on a passé cette longueur d'absence,
Est-on tenu de faire vne reconnoissance ?
Apres quinze ou seize ans, vn grand barbon viendroit
Dire, c'est moy, mon cœur, & l'on le reprendroit ?
1295   De semblables aueus ne sont plus à la mode,
Et cette bonne foy seroit trop incommode.
Qu'il soit donc Alcidor, ou qu'il ne le soit pas,
Il peut, si l'on m'en croit, retourner sur ses pas ;
La teste luy blanchit, & les jambes luy tremblent,
1300   La Turquie est fort bonne à ceux qui luy ressemblent.

FRIPESAVCES.

Tu fais vn trop grand bruit.

PHENICE.

Ma foy ie veux parler.

Il se veut introduire afin de nous voler :
Mais s'il entre chez nous, d'vne belle maniere
Il aura sur le corps marmite & cremaliere.
1305   Il faut bien l'auertir qu'il ne soit pas si sot.
Il seroit affeublé d'vn couvercle de pot ;

1281. FURETIÈRE : On dit ironiquement à ceux qui vantent trop
quelque personne, Il n'en vient que deux *en trois bateaux.*

Ie luy ferois voler toutes les vstenciles,
Il ne marcheroit plus qu'auecque des bequilles.

FRIPESAVCES.

Ma foy nous auons beau faire les entendus,
310   C'est vrayment à ce coup que nous sommes perdus.

LVCINDE.

Que cét euenement a d'estranges surprises !

FRIPESAVCES.

Nous n'auons pour nous deux qu'à plyer nos chemises.

PHENICE.

Tu n'as point trop à rire, attendons en la fin.

FRIPESAVCES.

Pour moy i'ai resolu de ioüer au plus fin,
1315   Et de confesser tout.

LVCINDE.

Est-ce ainsi que l'on m'ayme ?

PHENICE.

Si tu confesses tout, i'en vseray de mesme.

LVCINDE.

Et tout retombera sur moy ?

PHENICE.

Ie n'en sçay rien.

1307. RICHELET. *Ustensile.* Ce mot est masculin et féminin, mais le
plus souvent féminin. — Cf. vers 1203, note, au sujet de la rime.

FRIPESAVCES.

I'ay fait ce qu'on m'a dit, comme vn homme de bien.

PHENICE.

Et moy ie n'ay rien dit, que ce qu'on m'a fait dire.

LVCINDE.

1320   Excusez-vous l'vn l'autre afin qu'on me deschire.

MANILLE.

O mon cher Alcidor ! c'est vous asseurément,
Mon esprit ny mon cœur n'en doutent nullement ;
Et par tous vos discours la preuue est averée,
Par qui nostre maison se voit deshonorée.
1325   Mais il faut l'empescher de rire à nos despens,
Il faut nous en saisir auant qu'il soit long-temps.
Ie vais adroitement empescher qu'il ne sorte,
Pour vous, sans faire bruit, venez auec main forte.

ALCIDOR.

Vous me verrez bien-tost assez bien escorté,
1330   Pour donner l'accolade à ce fils apposté.

MANILLE.

Il n'en faut point douter ; ie lis sur leurs visages
Comment ils m'ont ioüée à quatre personnages.

1332. *A quatre personnages* : Lisandre, Lucinde, Phénice et Fripesauces.
— Cf. les titres de farces du siècle précédent : *Farce du nouveau marié, à
quatre personnages*, le Mari, la Femme, la Mère et le Père ; *Farce d'un
Mari jaloux, à quatre personnages* ; *Farce moralisée, à quatre personnages*,
deux hommes et leurs deux femmes ; *Farce du pont aux ânes, à quatre personnages* ; *Farce du pasté et de la tarte, à quatre personnages*, deux Coquins,
le Pasticier et sa Femme ; etc., etc.

Ouy, leur couleur est pasle, & leur cœur tout tremblant,
Mais d'auoir rien apris ne faisons pas semblant.
335 Lucinde, en bonne sœur, visitez vostre frere :
Voyez s'il auroit point refroidy sa colere.
Pour diuertissement vous lui direz encor
Que l'homme qui s'en va n'est qu'vn faux Alcidor,
Et qu'il m'a confessé que par galanterie,
340 Il s'estoit informé de l'estat de ma vie :
Induit par Matamore, il estoit venu voir
Si i'estois vn esprit que l'on pût deceuoir.

FRIPESAVCES.

Cét emprunteur de noms se doit appeller Charle.

MANILLE.

A tous coups ce maraut m'interrompt quand ie parle.
345 Il clabaudoit tout haut quand ie parlois tout bas.
Allez, & vous, Phenice, accompagnez ses pas ;
Toy, demeure & me dis où tu trouuas Sillare
Quand tu me l'amenas ? Ton visage s'effare.
Où le rencontras-tu ?

FRIPESAVCES.

Moy ? ie le rencontray
350 Aupres d'vn Cabaret.

1339. Ces galanteries ingénieuses à qui le vulgaire ignorant donne
le nom de fourberies. (MOLIÈRE, *Les Fourberies de Scapin*, I, II.)

1341. FURETIÈRE : *Induit*. Ce mot s'emploie particulièrement quand il
s'agit de porter quelqu'un à quelque chose de mauvais.

1343. Victor Fournel voit ici une allusion au duc Charles IV de
Lorraine « dont les perpétuelles intrigues préoccupaient beaucoup l'attention publique ». Peut-être ?

MANILLE.

Où ?

FRIPESAVCES.

Où i'estois entré.

MANILLE.

Mais il en faut sçauoir & l'enseigne & la ruë ;
Respons sans hesiter, & sans baisser la veuë.

FRIPESAVCES

Madame, i'ay trouué Lisandre prés d'icy.

MANILLE.

Quoy, ce fils aposté s'appelle donc ainsi ?
1355   Ce Sillare nouueau s'appelle donc Lisandre ?
Poursuis, & me dis tout, ou ie te feray pendre.

FRIPESAVCES.

C'est ainsi qu'il s'appelle, à ne vous celer rien :
Mais c'est vn fils vnique auec beaucoup de bien,
Qui prist pour vostre fille vne amour legitime,
1360   Et dont les procedez se trouueront sans crime.

MANILLE.

Sans crime à me tromper ? à venir desguisé ?
A feindre des Romans ? prendre vn nom supposé ?
Cela s'est-il pas fait, & par ton assistance ?

FRIPESAVCES.

Ouy, Madame, & pourtant auec toute innocence.

5   I'ay tout veu, i'ay tout sceu.

MANILLE.

Tu t'excuses en vain.

FRIPESAVCES.

I'en ferois bien serment, i'en leuerois la main.

MANILLE.

Enfin, de cette amour clandestine & sinistre,
Tu n'as donc pas esté le principal ministre ?
Tu ne m'as point duppée, & de bonne façon,
70 Iusques dans mon logis amenant ce garçon ?
Infidelle valet, infame Parasite,
Tu ne sausseras plus ton pain dans ma marmite ;
Apres ce lasche tour, ie serois sans raison,
Si tu mettois iamais le pied dans ma maison.
75 Deslogeons sans trompette, allons, qu'on se retire ;
Mais viste, promptement, sans qu'il faille le dire,
Ou l'on va te rosser, en compere, en amy.

FRIPESAVCES.

Me voila bien payé de six ans & demy.
En ce petit moment ma fortune est bien faite :
80 C'est pour deuenir riche vne belle recette ;
Et ce qui suffiroit pour me faire enrager,
Ie sors de la maison sans boire & sans manger.
Apres m'estre bruslé le nez en la cuisine,
Auoir mis tout en train pour la feste voisine,
Apresté tant de mets pour faire vn bon repas,

1378. Et qu'après m'avoir eu quatre ans pour serviteur... (MOLIÈRE,
L'Etourdi, II, VII.)

Par l'ordre des Demons ie n'en mangeray pas.
S'il faut quitter ainsi la marmitte & la poësle,
Que maudit soit l'Amour & quiconque s'en mesle ;
Au Diable le fripon, dont les meilleurs valets
1390   Ont l'estomac si vuide en portant des poulets.

Adieu bœuf de poitrine, & cimier agreable,
Adieu beau mouton gras au goust si delectable,
Adieu cochons rotis, adieu chapons bardez,
Adieu petits dindons, tant bardez que lardez,
1395   Adieu levraux, perdrix, & pigeonneaux en paste,
Dont vn Diable incarné ne veut pas que ie taste.

Adieu tarte à la cresme, adieu pouplain sucré,
Puissiez-vous estrangler ceux qui m'en ont sevré.
On a beau toutefois me traitter de la sorte,
1400   Si feray-je le guet autour de cette porte.
Ie vay proche d'icy faire quelque repas,
Afin de reuenir promptement sur mes pas.
Me dût-on assommer, me dût-on faire pendre,
Ie sçauray, si ie puis, que deuiendra Lisandre.

FIN DV QVATRIESME ACTE.

1390. Cf. vers 32.
1391-1397. Adieu, vénérable fauteuil où je me suis renversé tant de
fois gorgé de mets succulents ! Adieu, bouteilles cachetées, fumet sans
pareil de venaisons cuites à point ! Adieu, table splendide, noble salle
à manger..... (ALFRED DE MUSSET, *On ne badine pas avec l'amour*, II, II.)
1391. FURETIÈRE : *Cimier* est la pièce de chair qui se lève le long du
dos et des reins de l'animal depuis les côtes jusqu'à la queue. Une pièce
de bœuf de cimier.
1394. Cf. vers 287.
1397. FURETIÈRE : *Poupelin*. Pâtisserie délicate faite avec du beurre,
du lait, des œufs frais, pétrie avec de la fleur de farine. On y mêle du
sucre et de l'écorce de citron.

ACTE CINQVIESME.

SCENE PREMIERE.

FRIPESAVCES.

5   On dit que bien souuent entre les bords du verre,
Et le nez du beuueur, tout le vin tombe à terre :
Ie l'espreuue à mon dam, moy qui ce mesme iour
Estois vn truchement, vn messager d'amour,
Pour qui tournoient au feu des broches sauoureuses,
10 Et pour qui l'on marquoit des tonnes plantureuses.
Le Diable pour ma perte est venu du sabat,
Qui m'a fait desnicher de mon pauure grabat ;
Et par vn si grand trouble, & des rigueurs si grandes,
A troublé mon piot, & soustrait mes viandes,
15 Qu'aujourd'huy sans vigueur, sans force & sans suport,
Ie suis vn messager pour conduire à la mort :
Et me trouuant les dents aussi longues qu'vne aulne,
Ie suis vn truchement à demander l'aumosne :
Ie ne mange plus rien, & d'vn pas chancelant,
20 Ie ne fais que gober les mouches en volant :
Ie ne suis plus admis à seruir de Maistresses,
Et ie n'ay plus d'employ qu'à me gratter les fesses.
Mais quoy, ie ne serois accablé qu'à demy,
Si ie n'estois priué de mon meilleur amy ;
25 Tous mes boyaux plaintifs ne me font rien entendre
Qui soit si douloureux que le sort de Lisandre.
Ha ! qu'il est malheureux cét aymable garçon,
Qui me souloit tousiours de si bonne façon ;

1405-1406. On dit qu'il arrive souvent beaucoup de choses entre le verre et les lèvres. (SOREL, *Francion*, livre XI.)

Mais d'vn cœur liberal, d'vne ame noble & franche,
1430 Tantost aux deux Faisants, tantost à la Croix blanche,
Au Broc, à la Bastille, à la Cage, au Daufin,
A la Table Roland, à la Pomme de Pin,
A saint Roch, au Poirier, & dans la Magdelaine,
D'où ie ne sortois point qu'auec la pance pleine :
1435 Mais nous estions traittez encor d'autre façon
Quand nous allions chez Guille, ou bien chez Meneçon,
Dans ce petit Paris où toute chose abonde,
Qu'on peut comme le grand nommer vn petit Monde.
O le pauure garçon ! le Destin ne veut pas
1440 Qu'il me donne iamais vn malheureux repas.

1430-1438. Presque tous ces cabarets ont pu être identifiés par FRANCISQUE MICHEL et ÉDOUARD FOURNIER (*Histoire des Hôtelleries, Cabarets*, &c., 1851) et par ALBERT DE LA FIZELIÈRE (*Vins à la mode et Cabarets au XVIIᵉ siècle*, 1876), d'après l'*Ode à la louange de tous les cabarets de Paris*, dédiée à M. de la Motte Massas, 1628, *Les Visions miraculeuses du Pelerin du Parnasse*, contenant la liste des cabarets en vogue en l'an de grâce 1635, et le *Discours facétieux en vers burlesques*, 1649.

Les Deux Faisans, rue Montorgueil. Les Comédiens de l'Hôtel de Bourgogne y fréquentèrent. — *La Croix Blanche*, rue de la Savaterie. Dans la Cité, emplacement actuel approximatif du Marché aux Fleurs. — *La Bastille*. La petite Bastille, au Mail, près de l'Arsenal, non loin de la Bastille. — *La Cage*. Peut-être « La Fosse aux Lions », tenu par la Coiffier, rue du Pas de la Mule. — *Le Dauphin*, à la porte du Châtelet. — *La Table Roland*. « La Table du Valeureux Roland », près du Châtelet, dans la Vallée de Misère (quai de la Mégisserie). — *La Pomme de Pin*, rue de la Licorne, vis à vis de l'église de la Magdelaine. Dans la Cité, emplacement actuel de l'Hôtel Dieu. — *Saint Roch*, Butte des Moulins, probablement le cabaret tenu par la Guerbois. — *La Magdelaine*, sur le Pont Neuf. Saint-Amant, dans son Ode des Cabarets, cite La Magdelaine comme la Pomme de Pin. — *Le Petit Paris*. D'après le texte même de Tristan, c'est au « Petit Paris » que *Meneçon* exerçait ses talents de cuisinier hors de pair. — *Guille* n'était pas moins réputé. Bois-Robert dit de lui : « C'est un friand instruit en bonne eschole... » (*Epistres en vers*, t. I, p. 184.) Son établissement était au quartier Saint-Merry.

SCENE SECONDE.

Le Capitan. Fripesavces. Cascaret.

Le Capitan.

Selon les sentimens que l'on m'a fait entendre,
En cette occasion tu parles de Lisandre.
Mais il est succombé ce petit Escolier,
A qui si hautement tu seruois de pilier :
445   Pour qui tu m'as quitté sans craindre ma vengeance.

Fripesavces.

Monsieur, pour mes erreurs ayez de l'indulgence ;
Guerrier incomparable aux exploits si fameux,
Accusez-en l'excés d'vn vin trouble & fumeux ;
Lors que ie debittay des choses si badines,
450   l'auois bien beu dix pots, ou quarante chopines.

Le Capitan.

Va, ie puis ta fortune & le iour te rauir ;
Mais ie suis genereux, & ie te veux seruir.
Ie sçay qu'on t'a chassé pour faire ma vengeance.

Fripesavces.

Monsieur, on m'a cassé comme vn pot de fayence.

Le Capitan.

455   Il est bon.

1443. RICHELET : *Succomber*. Etre accablé, abattu, vaincu.
1449. RICHELET : *Badin*. Sot, ridicule.

FRIPESAVCES.

Mais pourtant si vous auiez parlé,
Ce miserable pot ne seroit que feslé.

LE CAPITAN.

Qui t'a chassé?

FRIPESAVCES

Manille.

LE CAPITAN.

Elle est d'humeur colere :
Mais ie te remettray deussay-je luy desplaire.
Ie connois Alcidor reuenu depuis peu ;
1460   I'ay mis pour son sujet plus d'vne ville en feu ;
Et pour ne rien celer, s'il faut que ie l'ordonne,
Il faudra que Manille à l'instant te pardonne.

FRIPESAVCES.

O qu'à vostre grandeur ie serois obligé !
Sans prendre mon bonnet i'ay receu mon congé.
1465   Mais par vne faueur grande comme est la vostre,
Ie puis rafubler l'vn, & m'excuser de l'autre.

LE CAPITAN.

Va donc, frape à la porte, & frape hautement :
Ie puis dans ce logis en vser librement.

FRIPESAVCES.

I'ay frapé comme il faut, on vient.

LE CAPITAN.

Belle demande ?

1458. RICHELET : *Remettre*. Réconcilier.

SCENE TROISIESME.

Phenice. Alcidor. Le Capitan.
Cascaret. Fripesavces.

Phenice.

1470 L'auis est bien pressant, ou l'audace est bien grande.

Alcidor.

Qui pour fraper si fort est assez effronté ?

Le Capitan.

C'est vostre seruiteur.

Alcidor.

     C'est assez bien heurté.
Monsieur, que voulez-vous?

Le Capitan.

      Monsieur, ie veux vous dire
Que vous poussiez la rouë à finir mon martyre;
1475 Vous estes bien receu, vous estes estably,
Et vous ne mettrez pas vos amis en oubly :
Si vous estes ancré, c'est par mon industrie.

Alcidor.

Ostez de vos papiers ces termes, ie vous prie.
Moy, si ie suis ancré c'est par vostre faueur ?

1474. Richelet : *Pousser à la roue*, c'est à dire aider.
1477-1479. Furetière : On dit figurément que quelqu'un s'est bien
ancré dans une maison pour dire qu'il y est bien établi, bien affermi,
qu'on aurait de la peine à l'en chasser. — Enfin chez son rival je
m'ancre avec adresse. (Molière, *L'Etourdi*, III, iv.)

LE CAPITAN.

1480 Ce n'est donc pas par moy? voyez ce vieux resveur?
Ie ne suis point l'autheur de sa bonne fortune,
Ie ne l'ay point produit.

ALCIDOR.

Ce discours m'importune,
Et m'importune fort à dire verité.

LE CAPITAN.

Qu'en dis-tu, Cascaret?

CASCARET.

Il craint d'estre escouté.

ALCIDOR.

1485 Vn homme tel que moy ne craint point qu'on l'escoute.

LE CAPITAN.

Qu'il est homme de bien!

ALCIDOR.

N'en soyez point en doute.

LE CAPITAN.

Enfin, vous auez sceu prendre l'occasion,
Vous auez bien vsé de nostre inuention.

ALCIDOR.

De quelle inuention? i'entends mal ce langage.

1484. N'avons-nous point ici quelque écoutant? (MOLIÈRE, *L'Etourdi*,
III, IV.)

Le Capitan.

1490   Quoy ? i'aurois pris le soin de vous sifler en cage,
Et de vous rendre Chef d'vne bonne maison,
Et vous me penseriez brider comme vn oyson :
Pour vous tenir bien ferme il faut changer de nottes.

Alcidor.

On ne me sifle point ainsi que les linotes.

Cascaret.

1495   Il est ma foy plaisant.

Le Capitan.

Respondez, & sans bruit,
Mon valet que voila vous a-t-il pas instruit
Afin que la dedans on vous prist pour vn homme
Qui s'appelle Alcidor ?

Alcidor.

C'est ainsi qu'on me nomme.

Le Capitan.

C'est comme l'on doit dire à tout autre qu'à moy.

Alcidor.

1500   Ie le puis dire à tous.

Cascaret.

Il vaut trop, sur ma foy,

1490. Furetière : *Sifler* signifie aussi apprendre un oiseau à régler
son ramage, lui apprendre à chanter en sifflant. On siffle les merles, les
sansonnets et autres oiseaux.
1492. Furetière : On appelle aussi un *oison bridé* un sot.

A force de le dire il pourroit bien le croire.

ALCIDOR.

Tout ce qu'il m'aprenoit estoit ma propre Histoire.

LE CAPITAN.

En ce role nouueau vous auez reüssy.

ALCIDOR.

Ie fay mon propre role en commandant icy.

LE CAPITAN.

1505   Mais toy, tu le connois?

FRIPESAVCES.

    Ie le dois bien connoistre,
C'est vrayment Alcidor, mon Seigneur & mon Maistre.
Ie le connois pour tel, & iusqu'au monument
Ie desmentiray ceux qui diront autrement.

LE CAPITAN.

Quoy? pour vn imposteur offenser ma personne.

FRIPESAVCES.

1510   La verité, Monsieur, cette audace me donne;
I'ay mangé de son pain de ce bon Alcidor,
Et si c'est son plaisir i'en veux manger encor.

ALCIDOR.

A t'accorder cela ton zele me convie,
Tu pourras en manger le reste de ta vie.

1507. RICHELET : *Monument.* Ce mot pour dire tombeau est poétique
ou de la prose sublime.

FRIPESAVCES.

515 Monsieur, pour ce beau mot i'embrasse vos genous.

LE CAPITAN.

Alcidor, faux ou vray, faites du bien à tous :
Accordez-moy Lucinde, & me prencz pour gendre.

ALCIDOR.

Il faudra le choisir auant que de le prendre ;
Mais nous n'entendons point de prendre des filous,
520 Et nous en voulons point de gens faits comme vous.

LE CAPITAN.

De gens faits comme moy ? si j'entrois en colere.

ALCIDOR.

Allez, grand fanfaron, nous ne vous craignons guere.
Rentrons dans le logis, & s'il y met le pied
Il n'en sortira pas sans estre estropié.

SCENE QVATRIESME.

LE CAPITAN. CASCARET.

LE CAPITAN.

1525 Ma bile est enflâmée, & tout mon sang s'embrase.

CASCARET.

Cet Alcidor, sans doute, est le patron de case :
Voicy qui comme vous m'estonne & me surprend.

LE CAPITAN.

La rencontre est bizarre.

CASCARET.

     Ou le miracle est grand.
On peut dire, Monsieur, que c'est vne merueille
1530 Qui iamais n'eust encor ny n'aura sa pareille.
Il semble qu'Alcidor de ie ne sçay pas où,
A trauers de la Mer soit passé par vn trou ;
Ainsi qu'vn godeno que de fine maniere
Brioché fait sortir hors de sa gibesiere.

1526. FURETIÈRE : *Case.* Maison. En ce sens ce mot est emprunté de l'italien *casa*, et n'est encore en usage qu'en peu de phrases. C'est le patron de case.

1533. RICHELET : *Godenot.* Petit morceau de bois qui se démonte à vis, qui a la figure d'un marmouset, et dont se servent les joueurs de gobelets pour divertir le petit peuple. — FURETIÈRE : Petite figure ou marionnette dont se servent les charlatans pour amuser le peuple.

1534. Pierre Datelin — c'était le véritable nom de Brioché ou Briocci qui se donnait des allures de farceur italien, — se tenait au Chateau-Gaillard, vis à vis de la rue Guenegaud, avec sa « montre » de marionnettes. Il cumulait adroitement l'emploi de montreur et celui de charlatan. (PIERRE BRUN, *Pupazzi et Statuettes.*)

1535   Et pour faire vne fourbe à Manille aujourd'huy,
Nous auons esté droit nous adresser à luy.

Le Capitan.

Mais ie me veux vanger des paroles dernieres :
Bien-tost tous ces quartiers seront des Cimetieres.
Auec trois grains de poudre, & le bout d'vn tison,
1540   Ie veux faire en esclats voler cette maison ;
Et pour me satisfaire, il faudra que Manille
Auec son Alcidor, & Lisandre & sa fille,
Son valet, sa seruante, & son chien & son chat,
Plus haut que les clochers fassent vn entrechat :
1545   Et lors que ma fureur auec ce coup de foudre,
Aura dans vn moment reduit ces corps en poudre,
En portant ma vangeance encore plus auant,
I'iray sous ce debris pour les soufler au vent :
Les cendres d'Alcidor iront en Tartarie ;
1550   Et celles de Manille iront en Barbarie ;
Les cendres de Lucinde aux terres du Mogor ;
Et celles de Lisandre au Royaume d'Onor.

Cascaret.

Celles de Fripesauce ?

Le Capitan.

En la Magellanique.

1538-1540. Je vais faire du monde un vaste cimetière. (Desmarets de
S. Sorlin, *Les Visionnaires*.) — Je veux mettre le feu au logis et brusler
toute la ruë, voire, pardieu, la moitié de Paris. (Larivey, *Les Contens*.)
— Je te jetteray par delà les Alpes qui partissent l'Allemagne. (Larivey,
Le Fidelle.)

1551. Trévoux : *Mogol*. C'est un Prince Mahométan qui est le plus
puissant Roi des Indes.

1552. Trévoux : *Onor*. Nom d'une ville de la presqu'île de l'Inde, delà le Gange, à vingt lieues de Goa.

CASCARET.

Et celles de Phenice ?

LE CAPITAN.

A la coste d'Afrique.

CASCARET.

1555   Du chien ?

LE CAPITAN.

Vers le détroit nommé Bebelmandel.

CASCARET.

Et les cendres du chat ?

LE CAPITAN.

S'en iront au bordel.

CASCARET.

C'est pour faire à Paris vn merueilleux esclandre,
Mille fils de putains naistroient de cette cendre :
Vous en auez, ie pense, enuoyé des miliers
1560   Au quartier du Marais, & ruë aux Grauiliers.

LE CAPITAN.

Tay toy, tu me fais rire, & ie suis dans la rage ;
Ie pense à repousser vn si sensible outrage.

CASCARET.

Vous deuez, ce me semble, en vser autrement :
Puisque cette Lucinde estime vn autre amant,

565   Il faut la mespriser, il faut se moquer d'elle,
      Et de vostre costé faire vne amour nouuelle.

LE CAPITAN.

De plus riches partis, & de meilleur estoc,
Si tost qu'il me plaira de parler, me sont hoc :
Ie suiuray ce conseil. Mais fuyons, ie voy fondre
570   Auec ce vieux Preuost, des Archers en grand nombre.

1568. RICHELET : *Hoc.* Sorte de jeu. Terme du jeu de hoc : Carte qui est assurée et qu'on peut prendre. Mot burlesque pour dire ce qui est sûr, qui est assuré.

1569-1570. *Fondre, nombre.* Assonance, plutôt que rime.

SCENE CINQVIESME.

Lvcile et ses Archers *.

Lvcile.

Compagnons, gardons bien d'alarmer le quartier :
Il faut pour bien agir qu'on sçache son mestier ;
Que tout le gros demeure au coin de cette ruë,
Deux à deux, trois à trois, pour n'estre guere en veuë
1575   Pour moy qui vay tout seul fraper à la maison,
l'auertiray si tost qu'il en sera saison :
Ie veux faire l'entrée, & vous ferez le reste ;
l'entends pis mille fois que la foudre & la peste :
Ie diray doucement, c'est de la part du Roy :
1580   Mais s'il arriue apres que ie vous crie, à moy !
Venez tous aussi-tost, & d'une bonne sorte
De la buche apportée enfoncez cette porte :
Six garderont l'entrée, & douze la dedans
Furetteront par tout de crainte d'accidens ;
1585   Il faut que du galand la capture soit faite ;
Et qu'il soit bien logé ; tout le iour ie vous traitte.
Mais ce Valet en sort, il faut comme prudens,
Tascher de descouurir ce qu'on fait la dedans ;
Prendre langue en ces cas est faire en homme habile.

Fripesavces.

1590   Phenice l'a bien dit, sans doute c'est Lucile.

---

* Le nom de Fripesavces est omis.
1586. *Traiter* (cf. vers 706).
1589. Richelet : Prendre langue, c'est s'enquérir. — Trévoux : S'informer de ce qui se passe.

LVCILE.

A la mine qu'il fait il semble peu gaillard.
Vn mot.

FRIPESAVCES.

Que vous plaist-il.

LVCILE.

Où vas-tu ?

FRIPESAVCES.

Quelque part.

LVCILE.

Connois-tu ce baston, chante vn autre ramage ;
Ie fay mettre souuent de tels oyseaux en cage.

FRIPESAVCES.

1595 Ha ! Monsieur le Preuost ! ou bien Monsieur l'Exempt !
Commandez, de bon cœur ie suis obeïssant.

LVCILE.

Que fait-on au logis ?

FRIPESAVCES.

On y pleure, on y crie.

LVCILE.

En sçais-tu le sujet ? dis le moy ie te prie.

FRIPESAVCES.

Ce sont des differens, ce sont de grands debats

1600 Ce que la femme veut le mary ne veut pas.
Si ce bruit dure encor, ie iure sur mon ame
Qu'on ne pourra seruir le mary ny la femme.

Lvcile.

Mais pourquoy disputer ? encore, à quels propos ?

Fripesavces.

Il faut, puis qu'il vous plaist, vous le dire en trois mots.
1605 C'est pour certain garçon qu'on appelle Lisandre,
Qu'on a mis en iustice, & qu'on veut faire pendre.

Lvcile.

Quel est donc ce Lisandre ?

Fripesavces.

     Vn Enfant d'Orleans,
Qui se disoit sorty des mains des mescreans,
Et semblant vn forçat sorty de la cadene,
1610 S'introduisit ceans.

Lvcile.

    O qu'il me met en peine !
Il a fait quelque vol, ce traistre, ce vaurien.

Fripesavces.

Il a volé le cœur à qui voloit le sien ;
Apres s'estre introduit pour le fils de Manille,
Il a donné soupçon qu'il caressoit sa fille :
1615 Enfin pour ce sujet, pour s'estre desguisé,
Et pour s'estre produit sous vn nom supposé,

1609. Furetière : *Cadène*. Chaîne à laquelle est attaché un galérien.

Il fut mis hier au soir dans la Conciergerie ;
Et l'on fait son procés.

LVCILE.

C'est vne moquerie,
Ie n'entend point cela.

FRIPESAVCES.

Le faut-il dire encor ?
1620 Lisandre qui passoit pour le fils d'Alcidor,
Pour frere de Lucinde, & se disoit Sillare
Qui fut mené captif en vn païs barbare,
Par le mesme Alcidor sur ce temps reuenu,
Pour vn lâche imposteur se trouue reconnu :
1625 Et comme corrupteur d'vne fille bien née,
Il est pres de finir sa triste destinée.

LVCILE.

Mais dy moy tout le reste ? & pour quelle raison
La femme & le mary grondent dans la maison ?

FRIPESAVCES.

Vous le sçaurez bien-tost, c'est pource que Manille
1630 Qui connoist que Lisandre ayme ardemment sa fille,
Voudroit de ce ieune homme empescher le trespas :
Mais son cruel mary veut qu'il passe le pas.
Pour moy ie croy que l'air qu'on respire en Afrique
Suffit à rendre vn cœur aussi dur qu'vne brique ;
1635 Ie ne sçay qui le porte à s'obstiner ainsi.

1617. RICHELET : *Conciergerie*. Prison qui est dans l'enclos du palais de Paris. — FURETIÈRE : On a amené ce prisonnier à la Conciergerie, c'est à dire aux prisons royales du Parlement.

A grands coups de baston les Turcs l'ont endurcy.

Lvcile.

A ce pauure garçon tu serois fauorable ?
Tu le plains de bon cœur.

Fripesavces.

               C'est qu'il est fort aimable ;
I'enrage d'auoir veu trauerser son desir,
1640   Et mangerois du bien pour luy faire plaisir.
Falloit-il qu'en ce deüil aujourd'huy ie le visse !
Il n'est rien que pour luy de bon cœur ie ne fisse ;
Depuis son accident ie ne fay que pleurer.

Lvcile.

Ne pleures pas si fort, on l'en peut retirer :
1645   Nous entendons vn peu le Droit, & la Coustume,
Et sommes pour le poil ainsi que pour la plume.

Fripesavces.

Il resve, tout va bien.

Lvcile.

               O miserable fils !
Ie venois pour te prendre, & ie te treuue pris.
Ie te voulois punir, lors qu'vne main plus rude
1650   Corrige ton desordre & ton ingratitude.
Si faudra-t-il t'aider, & de tout mon pouuoir.

1646. Trévoux : On dit qu'un chien est *au poil et à la plume*, pour dire qu'il arrête toute sorte de gibier, comme lièvres, perdrix, etc. Et l'on dit figurément qu'un homme est *au poil et à la plume*, pour dire qu'il est propre pour les armes et pour les lettres.

1647. Richelet : *Rêver*. Penser fortement à une chose. — Laissez-moi quelque temps rêver à cette affaire. (Molière, *L'Etourdi*, I, ii.) — Cf. vers 1085.

Mieux que toy, mieux que toy, ie feray mon deuoir.
L'estat où ie te voy me donne de la crainte ;
Il faut te retirer d'vn si grand labyrinthe.
555 Dy-moy ? cét Alcidor n'a-t-il pas vne sœur
Voisine d'Orleans ?

FRIPESAVCES.

C'est sans doute, Monsieur,
C'est là que ce garçon vid Lucinde si belle,
Qu'il a perdu depuis l'esprit pour l'amour d'elle.

LVCILE.

Ils sont assez aisez ?

FRIPESAVCES.

Cela m'est bien connu,
660 Ie connois leur despence, & sçay leur reuenu.

LVCILE.

Mais Manille est honneste, & sa fille de mesme ?

FRIPESAVCES.

Toutes deux ont le bruit d'vne sagesse extrême,
Et ie sçay que Lucinde en cét engagement,
Auecque ce Lisandre a vescu chastement.

LVCILE.

665 Dieu le veüille. Et pourquoy cependant introduire
Ce frere supposé qui pouuoit la seduire ?

FRIPESAVCES.

Pour empescher l'effet d'vn hymen proposé,

A quoy iamais son cœur ne se fut disposé.
C'est ce qui de tous deux a produit la misere.

LVCILE.

1670 Ne sçaurois-je en secret entretenir sa mere?
Pour chercher le biais de faire quelque accord.

FRIPESAVCES.

Cela se peut, Monsieur, mais la voila qui sort
Auec son Alcidor. De ce trouble ils deuisent.

LVCILE.

Auant que leur parler escoutons ce qu'ils disent.

SCENE SIXIESME.

ALCIDOR. MANILLE. LVCILE.
FRIPESAVCES.

ALCIDOR.

1675   Ayez soin du mesnage, & moy de mon honneur.
Mais il sera puny, ce lâche suborneur.

MANILLE.

Mais donnez-vous vn peu le loisir de m'entendre

ALCIDOR.

Non, ie vous dis encor que ie le feray pendre,
Deussay-je à cet effet employer tout mon bien.

LVCILE.

1680   Monsieur, n'en iurez pas, car vous n'en ferez rien.

ALCIDOR.

Qui m'en empeschera ?

LVCILE.

        Moy, moy qui suis son pere.

ALCIDOR.

Le fussiez-vous cent fois, il ne m'importe guere.

LVCILE.

Nous verrons.

1678, **Quoi qu'il puisse coûter, je veux le faire pendre.** (MOLIÈRE,
L'Etourdi, II, IV.)

ALCIDOR.

Nous verrons s'il ne fait pas le saut.

LVCILE.

Vous vous emportez trop, & vous parlez trop haut ;
1685   Vous rendez criminelle vne cause ciuile :
Mais i'ay de bons amis, & bon credit en ville.

ALCIDOR.

Vous en aurez besoin pour pouuoir empescher
Le cours de la Iustice, & l'honneur m'est si cher,
Que pour estre vangé de ma fille rauie,
1690   Ie n'espargneray point ny mon bien, ny ma vie,

LVCILE.

Nous verrons de nous deux à qui l'emportera.

ALCIDOR.

Ie n'ay qu'vne maison, mais elle sautera,
Et quelque arpent de terre, & quelque arpent de vigne.
Plutost que ie n'en tire vne vengeance insigne
1695   I'y mettray tout pour tout.

LVCILE.

                              Et moy, graces à Dieu,
I'ay sur les bords du Loire, en vn assez beau lieu,

1685. FURETIÈRE. *Civil*, en termes de Palais, est la procédure qu'on
fait dans les procès civils, et pour des intérêts pécuniaires, par opposi-
tion aux procès criminels.

Vn Colombier qui vaut trois mille francs de rente,
Et quelque autre à la ville ; & de plus ie me vante
D'auoir quelques deniers dedans mon coffre fort
1700   Qui pourront exempter Lisandre de la mort.

ALCIDOR.

Ie ne m'estonne point de propos ridicules ;
Ie le feray perir.

LVCILE.

Vos fortes fiévres mules.
Pour quel grand auantage, & pour quelle raison
Voulez-vous ainsi perdre vn enfant de maison ?

ALCIDOR.

1705   Pourquoy m'offence-t-il ? pourquoy perd-t-il ma fille ?
Et deshonore-t-il vne honneste famille ?

FRIPESAVCES.

La tache n'est pas grande, on la pourroit oster,
Sans qu'vn arrest mortel se dûst executer,
Si l'on donnoit Lucinde à Lisandre pour femme.

1697. FURETIÈRE : Dans la plupart des Coutumes de France, le droit
de *Colombier* n'est pas un droit féodal. Il n'est permis qu'aux seigneurs
qui ont haute justice d'avoir des Colombiers à pied. Les autres seigneurs
ne peuvent avoir de Colombier à moins qu'ils n'aient un certain nombre
d'arpents de terre.
1701. FURETIÈRE : *Estonner*, au figuré, signifie ébranler, faire trembler
par quelque grande, quelque violente commotion.
1702. FORCELLINI : *Mulleus*. Est genus calcei, coloris purpurei, seu
punicei, quem Festus primum a regibus Albanis gestatum tradit, deinde
a patriciis Romanis. — FURETIÈRE : Enfin il y a des fièvres pestilen-
tielles, malignes, purpurées. La fièvre pourprée est maligne. — Cf.
vers 1024.
1704. OUDIN : De maison, ou de bonne maison. De condition.

LVCILE.

1710   Lors que cela seroit, Monsieur vaut bien Madame.

MANILLE.

Vous l'approuueriez donc ?

LVCILE.

C'est ainsi que i'entends.

FRIPESAVCES.

C'est comme il faut parler pour estre tous contents.

MANILLE.

Iamais à cét accord nous ne serons contraires.

LVCILE.

Vous n'auez qu'vne fille ?

MANILLE.

Elle n'a sœurs ny freres.

ALCIDOR.

1715   Vostre fils est vnique ?

LVCILE.

Et pour son entretien,
S'il est bon mesnager, n'aura que trop de bien.
Mais tous deux l'auez veu ; ioüons sans auantage,
Ie voudrois de Lucinde auoir veu le visage.

1717. ACAD. : *Avantage.* Ce qu'on a de plus qu'un autre, par dessus
un autre, en quelque genre de bien que ce soit.

[SCENE SEPTIESME.]*

LVCILE. ALCIDOR. FRIPESAVCES.
LVCINDE. PHENICE. MANILLE.

MANILLE.

Ma fille, aduancez-vous, & salüez Monsieur.

LVCILE.

1720   Cette belle est vrayment digne d'vn seruiteur.
En d'assez beaux filets mon fils s'est laissé prendre ;
De bon cœur maintenant ie pardonne à Lisandre.

PHENICE.

Il ne parle pas mal, il s'y connoist des mieux.

LVCINDE.

Tay-toy.

LVCILE.

Ie ne suis plus cét homme lubieux ?

PHENICE.

1725   Hé ! de grâce, Monsieur, excusez ces paroles :
Les sages sçauent bien que les femmes sont folles.

*. L'indication Scene Septiesme est omise dans l'originale.

LVCILE.

Nous traittions en discours, mais traittons en effet ;
Touchons-nous dans la main.

ALCIDOR.

Monsieur, cela vaut fait.

FRIPESAVCES.

Voila, voila parlé.

MANILLE.

Ha ! c'est nous faire grace.

ALCIDOR.

1730   C'est aussi bien que vous vn party qu'on embrasse.

LVCILE *parlant à Fripesauces*.

Va dire à mes Archers qui ne sont pas bien loin,
Que d'eux pour aujourd'huy ie n'ay pas de besoin.
Qu'ils boiuuent les santez de Lucinde & Lisandre,
l'acquitteray bien-tost ce qu'ils pourront despendre.

ALCIDOR.

1735   Nous, allons cependant querir le prisonnier.

MANILLE.

Tien les clefs de la caue, & celle du grenier.
Apres t'estre meslé de ce doux hymenée,
Tu te peux à loisir souler toute l'année.
Va donner ordre à tout pour vn ample repas.

FRIPESAVCES.

740   Ie promets sur ce point de ne m'endormir pas.

MANILLE.

Ne manque pas aussi d'amener vn Notaire
Pour passer le Contract,

FRIPESAVCES.

　　　　　　　Et faire bonne chere.
De plus, i'ameineray auec vn conuoy seur,
Et plus d'vn patissier, & plus d'vn rotisseur.
1745   O les Hostes plaintifs de la peau que ie tire !
Vous aurez de la ioye apres vn long martyre ;
Boyaux lâches & plats, vous deuiendrez rondins ;
Ie m'en vay vous remplir comme de vrais boudins ;
Et dans vn grand hanap, dans vne large Coupe,
1750   Ie vay iusqu'à demain boire à toute la Troupe.

FIN DV CINQVIESME & DERNIER ACTE.

1749. FURETIÈRE : *Hanap*. Vieux mot. Grand vaisseau à boire, sort
de broc. Il n'est en usage que dans le burlesque.

TABLE

———

———

*Achevé d'imprimer
par Protat frères, à Mâcon,
le 18 mai 1934.*